C0-AKD-857

Magiczny świat

Anna Edyk-Psut

Magiczny świat

OPOWIEŚCI DLA DZIECI

ilustracje: Ewelina Jaślan-Klisik

Zagubiony pierścionek

Pewnego razu królewna spacerowała po lesie, niedaleko pałacu. Zbierała leśne dzwonki i układała z nich bukiet. Miała zamiar podarować go swojemu tacie – królowi, który akurat obchodził urodziny. Gdy bukiet był gotowy, królewna zdjęła wstążkę z włosów, aby przewiązać nią kwiaty. I wtedy zauważyła, że nie ma na palcu pierścionka, który dostała od rodziców. Zaczęła go szukać wśród wrzosów, dzwonków i borówek. Wracała do miejsc, gdzie zrywała kwiaty, rozglądała się dokładnie, ale pierścionek przepadł jak kamień w wodę. Zmartwiona i zmęczona królewna usiadła na mchu i rozpłakała się.

A wtedy z całego lasu przyleciały ptaszki, żeby ją pocieszyć. Przybiegły sarny i wiewiórki, kolczaste jeże i zajączki. Wszyscy starali się odszukać zagubiony pierścionek... Niestety, zguba nie odnalazła się ani tego dnia, ani przez kolejne, chociaż królewna nie ustawała w poszukiwaniach. Każdego dnia chodziła po lesie i rozglądała się. I każdego dnia roniła kilka łez, które wsiąkały w leśną ściółkę. A gdy przyszła wiosna, w miejscach, gdzie upadły łzy królewny, wyrosły małe drzewka. Pięły się szybko w górę, rosły i rosły, aż stały się dorodnymi dębami.

Minęły lata. Królewna dorosła, wyszła za mąż i z czasem zapomniała o zagubionym w lesie pierścionku. Odziedziczyła tron po ojcu i stała się mądrą i dobrą królową. Bardzo dbała o wszystkich swoich poddanych, zwłaszcza o dzieci. Dołożyła wszelkich starań, aby mogły się uczyć i miały wszystko, czego im potrzeba.

Dzieci z całego królestwa często odwiedzały królową. Przynosiły jej polne kwiaty i poziomki zbierane w lesie. Często bawiły się w miejscu, gdzie królowa dawno temu zgubiła swój cenny pierścionek. A miejsce to zmieniło się nie do poznania. Nie była to już mała leśna polanka, lecz gęsty dębowy las. Dęby, które wyrosły z łez królewny, były ogromne. Każdej jesieni spadało z nich mnóstwo żołędzi w brązowych berecikach.

Pewnego jesiennego dnia Celinka i Janek wybrali się do lasu, żeby nazbierać żołędzi. Dzieci chciały z nich zrobić kilka wesołych ludzików, krasnoludka i żołędziowe ptaszki. Dzień był ciepły i słoneczny, a na mchu leżało mnóstwo błyszczących żołędzi. Po chwili maluchy miały wypełniony cały koszyczek. A w domu zabrały się do pracy – układały żołędzie, łączyły je za pomocą patyczków i ozdabiały piórkami. Zabawa była wspaniała, a już po godzinie na stole stały śmieszne ludziki, koniki, ptaszki, krasnoludek, a nawet żołędziowy żuczek.
Celinka i Janek postanowili, że zaniosą figurki do pałacu i podarują królowej, którą bardzo lubili. Królowa ucieszyła się z prezentu. Postawiła ludziki na honorowym miejscu i cieszyła się ich widokiem, jakby sama była małym dzieckiem. Szczególnie przypadł jej do gustu żołędziowy krasnoludek, który zamieszkał na toaletce tuż przy łóżku królowej. Ale któregoś dnia z głowy żołędziowego krasnoludka spadł brązowy berecik.

Zasmucona królowa chciała naprawić krasnoludka, a wtedy zauważyła coś błyszczącego na jego głowie... Jakież było jej zdziwienie, kiedy rozpoznała swój pierścionek, który zgubiła jako mała dziewczynka. Wrósł on w żołędziową głowę figurki, która przez kilka tygodni stała przy jej łóżku. Radość królowej z powodu odzyskanego pierścionka była tak wielka, że postanowiła urządzić wspaniały bal.

Na balu nie zabrakło Celinki i Janka, którym królowa bardzo serdecznie dziękowała. Były tam również inne dzieci z królestwa. Goście z przejęciem wysłuchali historii zagubionego pierścionka. Na koniec opowieści królowa dodała: „Bądźmy cierpliwi. Jeśli czegoś szukamy, nie traćmy nadziei. Coś utraconego możemy odnaleźć całkiem przypadkowo, najczęściej tam, gdzie wcale się tego nie spodziewamy".

Łagodny smok

W dawnych czasach, daleko stąd, w pieczarze na skraju lasu mieszkał smok. Wzbudzał lęk wśród ludzi i zwierząt, bo był ogromny i brzydki. Do tego tak okropnie ryczał, że aż wszystkim cierpła skóra. Miał trzy głowy oraz trzy ogony i co trzy minuty wypuszczał z paszczy smugę ciemnego dymu. Opowiadano, że smok pożera kury i kaczki, a kiedy się złości, wywija ogonami, burząc domy. Krążyły plotki, że smok może wydmuchać z paszczy tyle dymu, że zrobi się od niego ciemno na cały tydzień. Często rozmawiano o tym, jakim sposobem wypędzić bestię z kraju.

Tymczasem smok siedział w swojej pieczarze. Niekiedy tylko spacerował po okolicy w poszukiwaniu owoców, grzybów i korzonków. Od czasu do czasu lubił przekąsić muszkę lub komara, ale na ogół unikał mięsnych potraw. Owszem, zdarzyło mu się kiedyś przewrócić płot we wsi, bo niechcący machnął jednym z ogonów.
Smok był samotny. Nikt go nie odwiedzał i nie miał z kim porozmawiać, bo wszyscy na jego widok uciekali w popłochu. Kiedyś próbował zaprzyjaźnić się z kurką i kaczką, ale kura na jego widok uciekła z podwórza, a kaczka wskoczyła do jeziora.

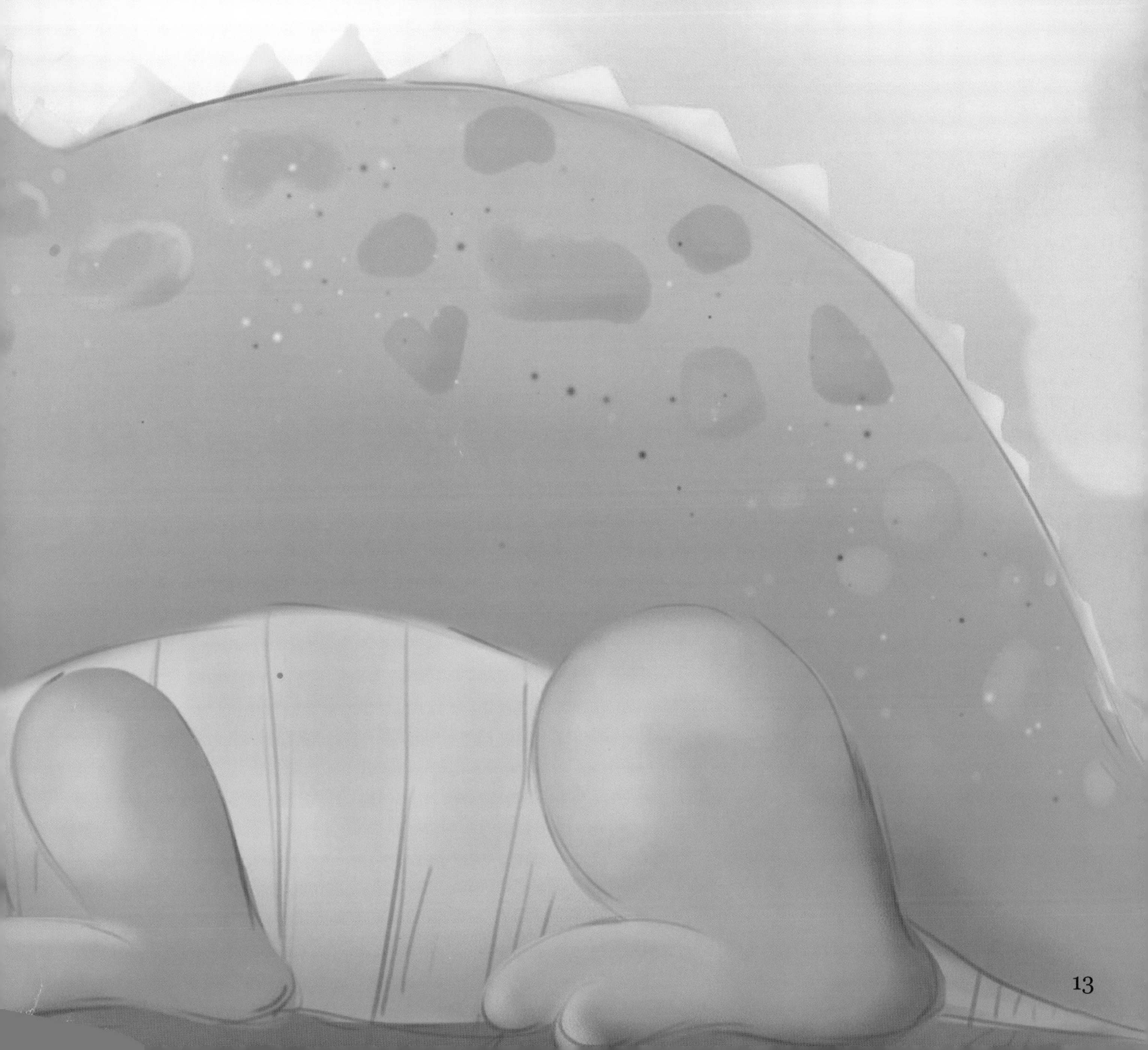

Mijały lata. Smok siedział samotnie w swojej pieczarze, a ludzie snuli o nim coraz to straszniejsze opowieści. Wieczorami nikt nie wychodził z domu, a dzieci przez cały czas pozostawały pod opieką dorosłych. Obawiano się, że smok może się pojawić w każdej chwili. Pewnej jesieni do pieczary smoka weszła polna myszka, szukająca schronienia przed zimą. Nie miała pojęcia, że mieszka tam potwór. Rozgościła się więc w kąciku, planując spędzić zimę w tym przytulnym miejscu.

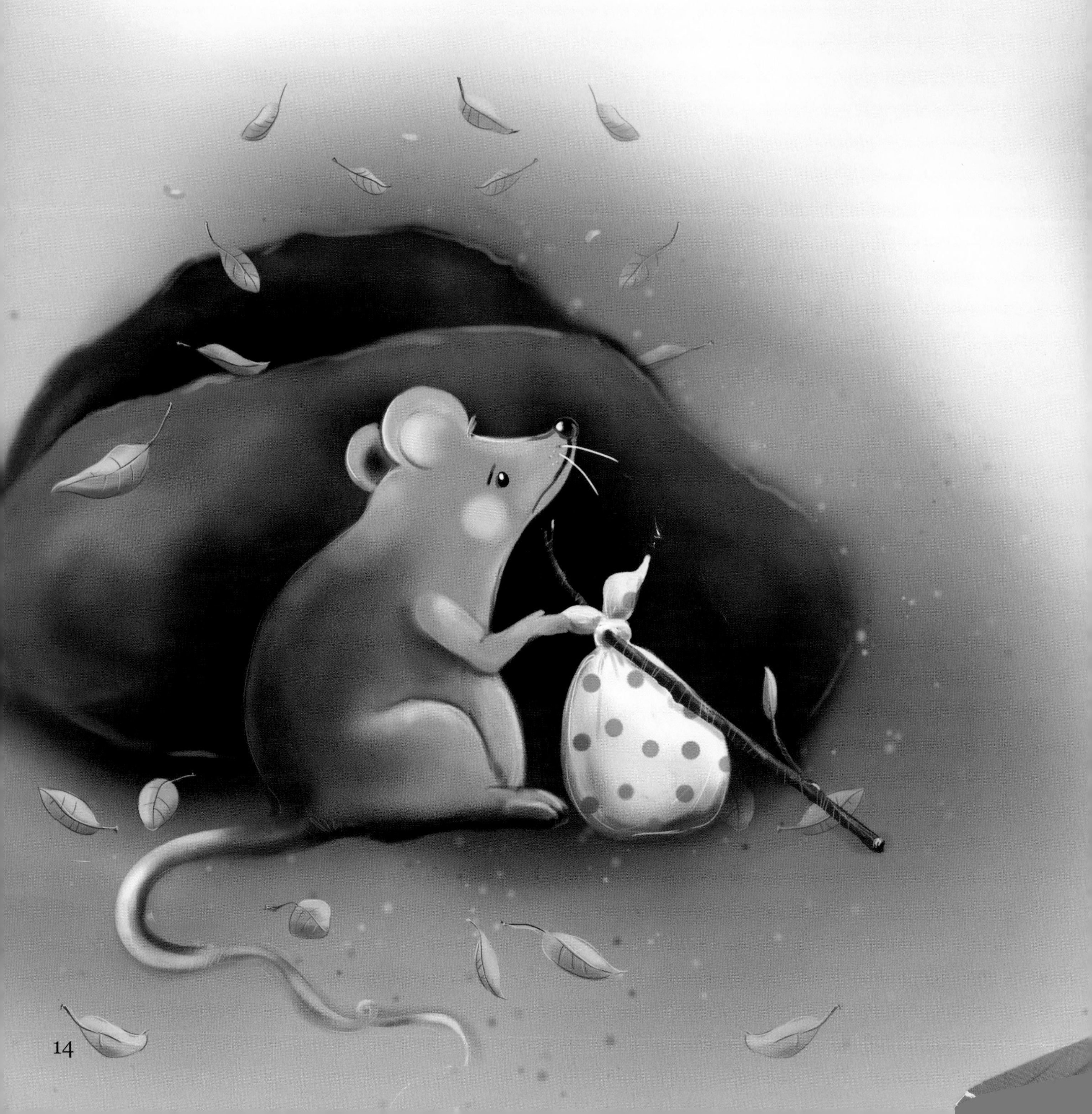

Kiedy zaczęła rozpakowywać swój podróżny tobołek, usłyszała potworny ryk dobiegający z drugiej strony pieczary. Dotarł do niej odgłos zbliżających się ciężkich kroków i zobaczyła tuż przed sobą potężnego smoka. Trzy pary oczu przyglądały jej się z uwagą, a jeden z nosów zaczął obwąchiwać tobołek. Myszka była przerażona. A wtedy smok przemówił do niej łagodnym głosem:
– Nie bój się mnie, myszko. Chociaż jestem duży i brzydki, nie zrobię ci krzywdy. Jestem taki samotny... Byłbym szczęśliwy, gdybyś spędziła tu zimę. Wieczorami moglibyśmy rozmawiać, a ja opiekowałbym się tobą najlepiej, jak potrafię.

Myszka, chociaż drżała ze strachu, wyciągnęła łapkę i powiedziała:
– Dzień dobry, smoku, miło mi cię poznać. Chętnie skorzystam z twojej gościnności.
Wkrótce nawiązała się pomiędzy nimi przyjaźń. Wspólnie spacerowali, robili zapasy na zimę, a wieczorami opowiadali sobie bajki. Któregoś wieczoru smok zwierzył się przyjaciółce, że w całej okolicy uważany jest za okrutnego potwora. Wszyscy się go boją, chociaż nikomu nie wyrządził krzywdy. Myszka wysłuchała smoka z uwagą i zapewniła, że nadejdzie taka chwila, kiedy ludzie przekonają się, jaki jest naprawdę. Musi tylko cierpliwie poczekać.
Kiedy przyszła wiosna, nastała pora gwałtownych burz. Wciąż grzmiało, na niebie często pojawiały się błyskawice, a wiatr pędził czarne chmury. Pewnej kwietniowej nocy taka właśnie chmura zatrzymała się nad wsią, nieopodal pieczary smoka. Z chmury sypały się pioruny, a jeden z nich uderzył w dom stojący w samym środku wioski. Zapalił się dach, a wiatr natychmiast przeniósł ogień na sąsiednie budynki. Wszyscy mieszkańcy wybiegli z domów i pomagali w gaszeniu ogromnego pożaru.

Myszka wyjrzała z pieczary, a gdy tylko zobaczyła, co się stało, natychmiast obudziła smoka. Kazała mu nabrać we wszystkie trzy pyski tyle wody z jeziora, ile tylko będzie mógł, i pobiec do wioski. Smok wiedział, że myszka jest mądra, zrobił więc to, o co go prosiła. Nabrał w pyski wody z jeziora, a potem szybko pobiegł do wsi i ugasił pożar, polewając wodą palące się domy.

Mieszkańcy wioski dziękowali smokowi z całego serca. Bez jego pomocy pewnie spłonęłaby cała wieś. Zniszczone domy szybko odbudowano, a smok pomagał w ciężkich pracach. Od tej pory wszyscy darzyli go sympatią i szacunkiem. Myszka całe lato spędziła na polu, gdzie spotykała się z innymi myszkami. Opowiadała im historię smoka, a one kiwały łepkami i mówiły:

– Nie każdy smok musi być zły. Czasami wystarczy dać mu szansę, aby okazało się, że jest łagodnym i serdecznym stworzeniem.

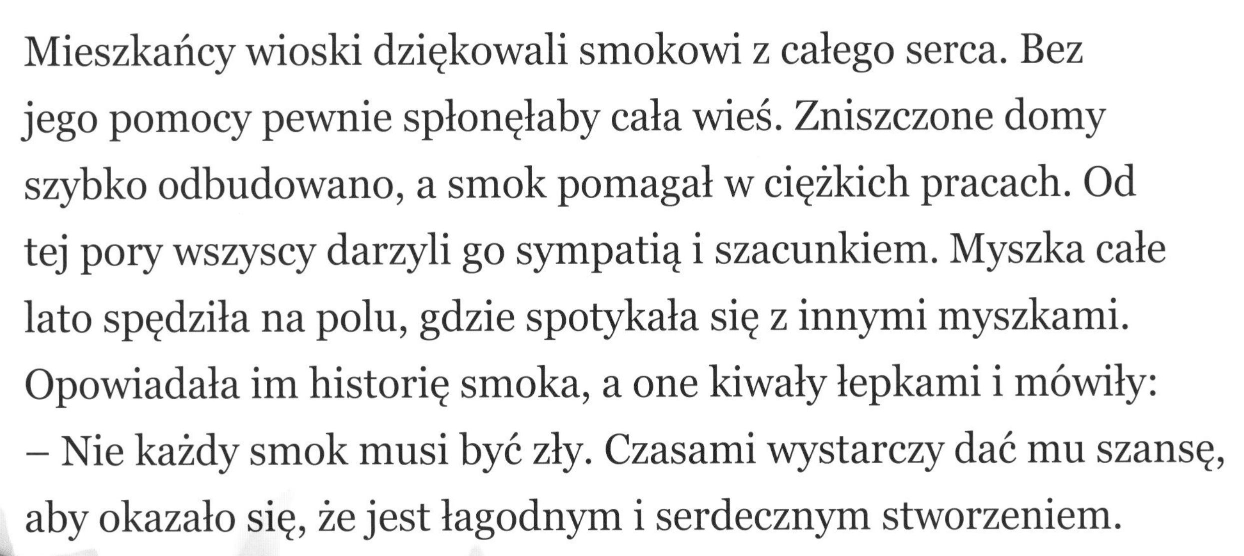

O chłopcu, który chciał dorosnąć

Dawno temu w pewnym mieście mieszkał chłopiec, który nie chciał być dzieckiem. Marzył o tym, żeby stać się dorosły. Marzył, by robić to, na co będzie miał ochotę. Nie chciał słuchać mamy, uczyć się ani chodzić wcześnie spać. Nie chciał się bawić z młodszą siostrą ani jeść warzyw. Myślał, że gdy dorośnie, będzie całymi dniami grać w piłkę. I nikt nie mówiłby mu, co należy robić, a czego nie. Wyobrażał sobie, że będzie miał własne pieniądze, jak każdy dorosły. I że będzie kupować sobie zabawki, o jakich tylko zamarzy. I oczywiście jeść lody na śniadanie, obiad i kolację.

Pewnej nocy chłopcu przyśniło się, że wypił cudowny nektar, po którym natychmiast stał się dorosły. Sen był tak realistyczny, że kiedy obudził się rano, był pewien, że środek na natychmiastową dorosłość naprawdę istnieje. Postanowił go poszukać. Kiedy jeszcze wszyscy spali, spakował plecak, coś do jedzenia i wyruszył w świat. Chciał znaleźć eliksir, który prędko spełni jego marzenia.

Chłopiec poszedł do parku, gdzie rosły ogromne dęby. „Na pewno są już dorosłe – pomyślał – może znają sposób na to, by szybko przestać być dzieckiem...” Zwierzył się jednemu z drzew, a ono odpowiedziało, że dęby rosną powoli, i poradziło, by porozmawiał z brzozami, bo te rosną bardzo szybko. Chłopiec dotarł do lasu, gdzie rosły wysokie brzozy. „Mają siwą korę, na pewno są dorosłe” – pomyślał. Zaczął rozmawiać z brzozą, która mu wytłumaczyła, jak szybko dorosnąć:

– Musisz pić dużo wody, która spada z deszczem na ziemię i często wystawiać buzię do słońca. My, brzozy tak właśnie robimy i dlatego szybko rośniemy.

Chłopiec podziękował jej za radę, usiadł na polanie i czekał, aż spadnie deszcz. A przez cały ten czas wystawiał buzię do słońca. Wreszcie zjawiła się czarna chmura, zerwał się wiatr i spadł ulewny deszcz. Chłopiec podniósł głowę i otworzył usta, a zimne krople spadały mu wprost na język. Napełnił też deszczówką swój garnuszek, a potem wypił jego zawartość. Od razu pobiegł nad jeziorko, aby się przejrzeć w tafli wody. Miał nadzieję, że zobaczy twarz dorosłego człowieka. Okazało się jednak, że nadal jest małym chłopcem. Pomyślał, że to, co pomaga drzewom, nie musi być dobre dla ludzi.

Malec usiadł nad brzegiem wody, zastanawiając się, co robić. Nagle zobaczył staruszkę, która nabierała wody do dzbana. Podszedł, aby jej pomóc, a wtedy ona zapytała, co robi sam tak daleko od miasta i od rodziców. Chłopiec wytłumaczył jej, że porzucił rodzinę i wędruje po świecie w poszukiwaniu leku na szybką dorosłość. Staruszka podała mu dzban wypełniony wodą i powiedziała:

– Chodź ze mną, chłopczyku. Jestem zielarką, znajdę więc lekarstwo na twój kłopot. Mieszkam w chatce w głębi lasu. Mam w niej różne zioła, z których potrafię przyrządzać eliksiry na różne dolegliwości.

Uradowany chłopiec poszedł z zielarką do jej chatki, dźwigając dzban z wodą. W chatce kobieta rozpaliła ogień w kominku, nad którym suszyły się różne rośliny powiązane w pęczki. Na kaflowej kuchni postawiła gar z wodą i wrzuciła do niego kilka suszonych grzybów, a potem powiedziała:
– Jeśli chcesz prędko dorosnąć, musisz zostać u mnie na jakiś czas. Rano i wieczorem będziesz pić zioła, które dla ciebie przygotuję. I codziennie będziesz mi przynosić wodę z jeziora. Jest tylko jeden warunek: kiedy będziesz nabierał wody do dzbana, musisz zamykać oczy, aby nie widzieć swego odbicia.

Chłopczyk chętnie zgodził się na wszystkie warunki. Nie mógł się już doczekać, kiedy spełni się jego marzenie. Nikt nie wie, ile czasu upłynęło, odkąd zamieszkał w domku zielarki. Nikt nie wie, ile dzbanów wody przyniósł z jeziora i ile filiżanek eliksiru wypił. Przez cały czas stosował się do wszystkich zaleceń staruszki. Nigdy nie spojrzał na swoje odbicie w tafli wody.

Pewnego popołudnia, kiedy jak zwykle udał się z dzbanem po wodę, zobaczył na brzegu dzieci. Na jego widok przerwały zabawę, grzecznie się ukłoniły i powiedziały:

– Dzień dobry panu.

Chłopiec był bardzo zdziwiony. Obejrzał się za siebie, myśląc, że stoi za nim ktoś inny. Ale nie było tam nikogo. To do niego dzieci zwróciły się jak do osoby dorosłej.

Chłopiec porzucił dzban z wodą i pobiegł do chatki zielarki. A ona podała mu lustro, mówiąc, że właśnie spełniło się jego marzenie. Wtedy zrozumiał, że w domu staruszki musiał spędzić wiele lat, choć miał pozostać tylko kilka dni. Przypomniał też sobie o rodzinie, którą zostawił – o rodzicach i o siostrzyczce. Postanowił natychmiast wyruszyć w drogę powrotną, żeby czym prędzej zobaczyć swoich bliskich.

Kiedy dotarł do domu, okazało się, że mama jest już leciwą staruszką, a siostra – dorosłą kobietą. Zrozumiał, że chociaż spełniło się jego marzenie, stracił wiele cudownych lat. Na szczęście przypomniał sobie warunek, jaki postawiła zielarka – nie mógł się przeglądać w jeziorze, bo czar pryśnie. Wrócił więc nad wodę, przejrzał się w jej tafli i znów stał się dzieckiem, a jego mama odmłodniała. Zielarka, obserwująca go z okna chatki, powiedziała: „Życie każdego człowieka składa się z etapów. Żadnego z nich nie da się pominąć ani zmienić ich kolejności. Wszystkie są ważne i potrzebne".

Wróżki

Podczas upalnego lata, na ogromnej polanie pośrodku lasu, wróżki leśne urządziły przyjęcie. Przyfrunęły tam wróżki łąkowe, nadrzeczne oraz górskie. Wszystkie były wyjątkowo piękne. Miały długie włosy, błękitne lub kasztanowe oczy i długie rzęsy, którymi mogły się wachlować w czasie upałów. Były ubrane w cudowne suknie i pantofelki wyszywane drogimi kamieniami. Każda z nich wystąpiła w niezwykłym tańcu, a pozostałe wróżki uśmiechały się i biły brawo. Co chwila mówiły sobie komplementy i zachwalały swoją urodę, elegancję oraz wdzięk.

Ale jedna wróżka nie tańczyła. Ubrana była w zwykłą lnianą sukienkę, a na nogach nie miała ślicznych pantofelków, lecz sandałki. Zapytana, dlaczego nie tańczy, odpowiedziała, że taniec nie jest jej mocną stroną. Jej towarzyszki zdziwiły się, a potem zaczęły szeptać między sobą, że ona wcale do nich nie pasuje. Nie jest tak ładna jak one, nie ubrała się pięknie, nie potrafi tańczyć i być może wcale nie jest wróżką. Zaczęły śmiać się z jej lnianej sukienki i sandałków... Postanowiły, że dopóki się nie zmieni, nie będzie zapraszana na przyjęcia wróżek.

Następnego dnia wszystkie wróżki wróciły do swoich zwykłych zajęć. Wróżki leśne robiły grzebyki ze świerkowych igiełek i całymi dniami czesały włosy. Wróżki łąkowe oglądały skrzydełka motylków i porównywały je ze swoimi. Wróżki nadrzeczne wachlowały się rzęsami, podziwiając swoje odbicia w wodzie. A wróżki górskie ćwiczyły nowe układy taneczne i spierały się, która z nich najpiękniej tańczy. Żadna nie wiedziała, gdzie jest wróżka w lnianej sukience i czym się zajmuje.

Ona zaś wędrowała po świecie – to tu, to tam – pomagając każdemu, kto potrzebował jej pomocy lub rady. Kiedy pod koniec lata przemierzała góry, znalazła w szczelinie skalnej maleńkiego niedźwiadka. Był bardzo osłabiony i zziębnięty. Zgubił się mamie i nie wiadomo, co by się z nim stało, gdyby nie wróżka w lnianej sukience. To ona sprawdziła w czarodziejskim lusterku, gdzie jest mama malucha, i odprowadziła go do niej.

Innym razem, późną jesienią, spotkała w lesie wiewiórkę, która siedziała na pniu, załamywała łapki i płakała. Okazało się, że przez całą jesień była bardzo chora i nie zdążyła naszykować sobie żadnych zapasów na zimę. Wróżka w lnianej sukience zaprowadziła wiewiórkę do leszczynowego lasku i zadzwoniła w czarodziejski dzwonek. A kiedy rozległ się jego dźwięk, ze wszystkich drzew wprost pod nogi wróżki spadły orzechy, które były jeszcze na gałęziach. Wiewiórka szybko uporała się z przeniesieniem ich do swojej spiżarni.

Kilka dni później, idąc brzegiem rzeki, wróżka zobaczyła rodzinę bobrów. Zwierzątka rozpaczały, bo gwałtownie podniósł się poziom wody i zatopił ich żeremia. Dziewczynka wrzuciła do rzeki zaczarowany kamyczek. Woda natychmiast opadła, a bobry odzyskały swoje domki. Wróżka odeszła w stronę łąki. Tam spotkała zajączka, który skaleczył sobie łapkę o szkło z rozbitej butelki. Szybko przemyła mu ranę i nakleiła na łapkę kolorowy plasterek. Zajączek mógł pobiec dalej.

Pewnego popołudnia w górach rozpętała się potężna burza. Wiał silny wiatr, który z gór zbiegł w doliny. Dotarł aż nad rzekę, na łąkę i do lasu. Dla wróżek wiatr stanowił wielkie niebezpieczeństwo. Mógł je z łatwością porwać i zanieść w zupełnie inne miejsce. Mógł je porzucić na pustyni, wrzucić wprost do morza albo zostawić w samym środku wielkiego miasta.
Przerażone wróżki górskie zwróciły się do niedźwiedzicy o pomoc:
– Ratuj nas, osłoń nas przed wiatrem.
Ale niedźwiedzica powiedziała, że musi szybko odnaleźć wróżkę w lnianej sukience, by ją ratować.
Wichura dotarła do lasu, drzewa gięły się od wiatru, a wystraszone wróżki leśne prosiły wiewiórkę:
– Pomóż nam, zaprowadź nas do swojej dziupli.
Wiewiórka jednak nie miała czasu. Spieszyła się, aby ratować wróżkę, która pomogła jej zgromadzić zapasy na zimę. Również bobry nie udzieliły schronienia wróżkom wodnym, a zajączek nie pomógł wróżkom łąkowym. Wszystkie zwierzęta wyruszyły na pomoc wróżce w lnianej sukience.

Ona nie miała pojęcia o niebezpieczeństwie. Wiatr nie dotarł jeszcze do doliny, gdzie pomagała mrówkom naprawić mrowisko. Pierwsza przybiegła niedźwiedzica.
– Wróżko, chodź ze mną do jaskini. Za chwilę nadciągnie tu potężna wichura!
Zaraz za niedźwiedzicą przybiegły bobry.
– Jaskinia jest po drugiej stronie rzeki. Abyś dotarła tam bezpiecznie, przerzucimy przez rzekę ścięty pień drzewa.
Za bobrami przykicał zajączek.
– W jaskini jest zimno. Ja cię ogrzeję moim ciepłym futerkiem.
Na koniec przybiegła wiewiórka.
– Wróżko, przyniosłam ci garstkę orzeszków, żebyś nie zgłodniała w jaskini.

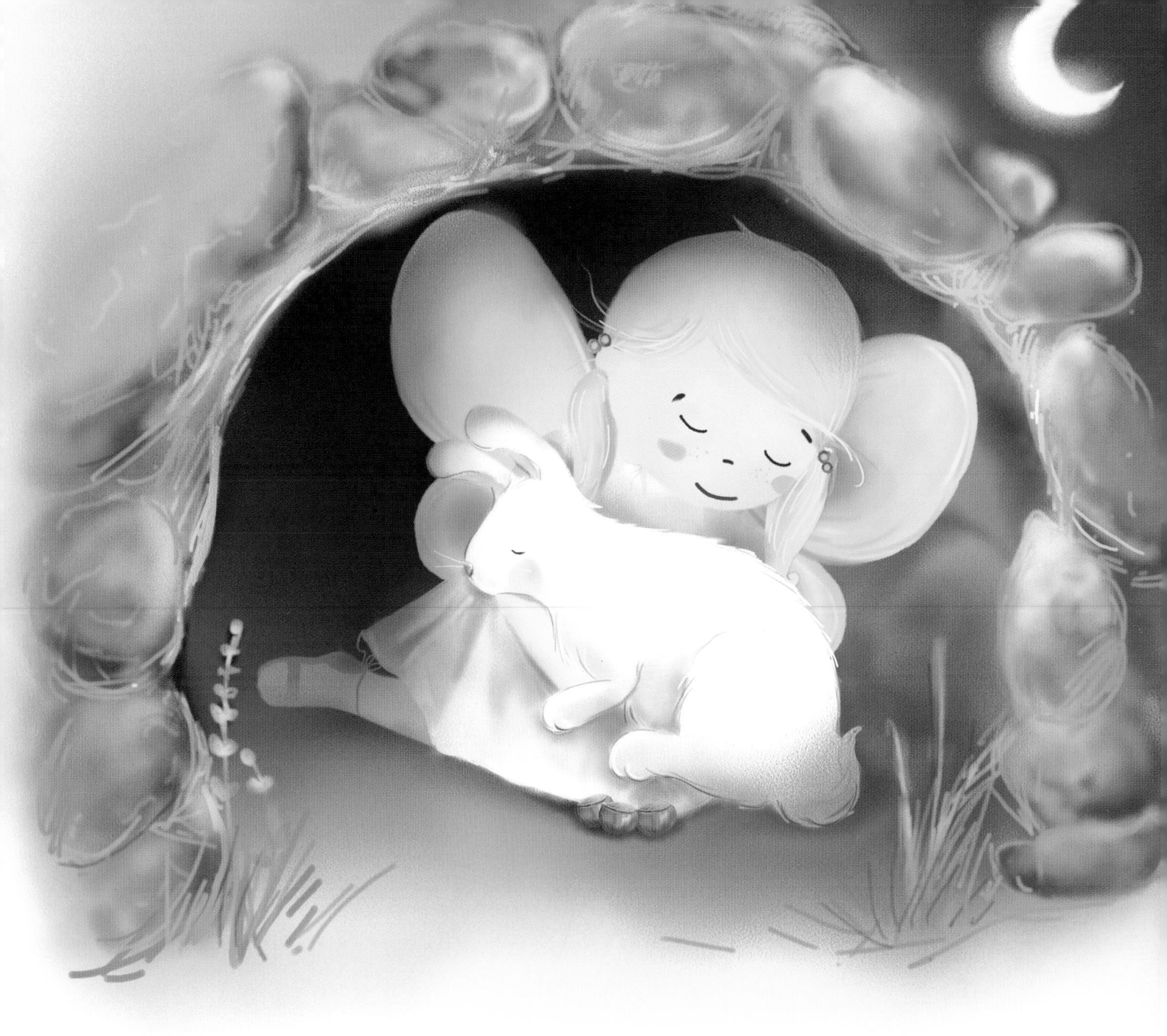

Wróżka w lnianej sukience poszła z niedźwiedzicą do groty. Przechodząc przez rzekę, skorzystała z pomocy bobrów. A noc w chłodnej jaskini przetrwała dzięki wiewiórce i zajączkowi. Rano, kiedy wichura ucichła, wróżka wróciła do doliny, gdzie mrówki kończyły już naprawiać mrowisko. Przez cały czas zastanawiała się, dlaczego zwierzęta przybiegły z daleka, aby jej pomóc. Dlaczego odmówiły pomocy innym wróżkom, które są od niej piękniejsze? Kiedy zadała to pytanie mrówkom, te odpowiedziały:
– Prawdziwe piękno ukryte jest głęboko w sercu i to właśnie stanowi największą wartość.

Zaczarowane drzewo

Dawno temu na wysokiej górze rosło samotne drzewo. Nie było ono ani iglaste, ani liściaste. Wyrastały na nim jedynie różowe owoce w kształcie serduszek, dojrzewające niezależnie od pór roku. Ciemnoróżowe serduszka spadały na trawę, a zielone rosły, zmieniały kolor na różowy, aby wkrótce spaść na ziemię. Do drzewa wędrowali ludzie z najodleglejszych stron świata. A działo się tak dlatego, ponieważ owoce tego drzewa miały czarodziejską moc spełniania marzeń. Jednak droga do niego nie była łatwa.
Wiodła ona pod górę, po kamieniach, które usuwały się spod nóg. Nieostrożny wędrowiec mógł się łatwo poślizgnąć na omszałych głazach i wpaść w przepaść. Jednak mimo niebezpieczeństwa ludzie wchodzili na szczyt, aby przynieść do domu jedno różowe serduszko. Dzięki niemu mogli spełnić swoje największe marzenie. Każdy mógł tylko raz wspiąć się na górę, wziąć spod drzewa tylko jeden owoc, a potem wypowiedzieć tylko jedno życzenie. Ale życzenie spełniało się natychmiast.

Pewnego razu o istnieniu czarodziejskiego drzewa dowiedział się bardzo bogaty kupiec. Chociaż niczego mu nie brakowało, wciąż chciał mieć wszystkiego więcej i więcej. Przyszło mu na myśl, że gdyby miał takie drzewo na swojej posiadłości, mógłby sprzedawać ludziom jego różowe owoce. W ten sposób stałby się jeszcze bogatszy. Aby zrealizować swój plan, chciwiec wynajął wielu pracowników obsługujących potężne maszyny. Chciał wyrwać drzewo z korzeniami, przewieźć je i posadzić w swoim ogrodzie.

Ale drzewa nie dało się wyrwać z podłoża. Jego korzenie powrastały w szczeliny skalne i rozrosły się, obejmując cały szczyt. Kupiec nie zrezygnował jednak ze swoich planów. Pomyślał, że skoro drzewa nie da się wyrwać ani wykopać, trzeba przenieść całą górę. Przeznaczył na to cały swój majątek. Prace trwały wiele miesięcy, aż któregoś dnia na jego posiadłości pojawiła się wielka góra, na której szczycie rosło drzewo. Kupiec już następnego dnia zaczął sprzedawać różowe owoce. Wkrótce odzyskał swoje pieniądze i tak się wzbogacił, że niejeden król mógłby mu pozazdrościć.

Niestety, nie wszyscy mogli sobie pozwolić na kupienie owocu, którego cena wciąż rosła. Biedni ludzie byli zrozpaczeni. Ich marzenia nie dotyczyły bogactw, wystawnych strojów, powozów i pałaców... Chcieli po prostu wieść szczęśliwe życie wypełnione uczciwą pracą. Pewna kobieta marzyła, aby wyzdrowiała jej mała córeczka, która chorowała od urodzenia. Staruszek mieszkający za wsią marzył, aby przestały boleć go plecy, bo przez ból, który mu wciąż dokuczał, nie mógł pracować. Ktoś inny pragnął, żeby ziemia na jego polu była bardziej urodzajna.

O tych wszystkich marzeniach wiedziała mała dziewczynka, która mieszkała w okolicy. Pewnego dnia zwróciła się do mamy:

– Mamo, czy mogłabyś dać mi pieniążek? Chcę kupić różowe serduszko, które spełni moje marzenie.

Kobietę zdziwiła ta prośba. Wydawało jej się, że córeczka ma wszystko, czego potrzebuje. Nie dała jej pieniędzy, ponieważ kwota, którą należało zapłacić kupcowi, była bardzo wysoka. Nie chciała też, aby córka wykorzystała swoją jedyną szansę spełnienia marzenia na coś nieistotnego.

Jednak córeczka nie dawała mamie spokoju – codziennie prosiła ją o zgodę. W końcu kobieta uległa jej prośbom. Dziewczynka zapłaciła kupcowi i wspięła się po kamieniach na szczyt góry. Pod rozłożystym drzewem leżało bardzo dużo różowych serduszek. Dziewczynka wybrała najbardziej dojrzałe i ostrożnie zaczęła schodzić w dół. W domu położyła je na stole i wypowiedziała swoje życzenie:

– Moim marzeniem jest, aby czarodziejskie drzewo wróciło na swoje miejsce.

Gdy tylko to powiedziała, ziemia zadrżała, rozległ się okropny huk i wzgórze powoli zaczęło się przesuwać. Mieszkańcy okolicznych wiosek obserwowali, jak góra porusza się, a potem zatrzymuje w miejscu, w którym stała poprzednio. Wszyscy klaskali i wiwatowali. Tylko bogaty kupiec nie mógł powstrzymać złości. Stracił górę, zniknął też cały jego majątek, zdobyty na sprzedaży czarodziejskich owoców.

Żeby odzyskać to, co stracił, musiał sam wdrapać się na szczyt i przynieść dla siebie zaczarowany owoc. Jeszcze tego samego dnia ruszył stromą ścieżką wśród usuwających się kamieni. Pod drzewem jak zwykle leżało mnóstwo dojrzałych owoców. Kupiec wziął jeden z nich i zaczął schodzić w dół. Ponieważ jednak bardzo się śpieszył, nie zachował należytej ostrożności. Poślizgnął się na wilgotnym kamieniu, upadł i złamał nogę. Nie mógł nią poruszać ani podnieść się o własnych siłach.

Zaczął wzywać pomocy, ale nikt go nie słyszał. Nastała noc. Kupiec był obolały, głodny i zziębnięty. Chciał czym prędzej wydostać się z pułapki i dojść na pole, które pozostało po dawnej posiadłości. Nie miał wyjścia – musiał wypowiedzieć swoje największe marzenie... W następnej chwili stał zupełnie zdrowy na środku pustego pola. Usiadł na kamieniu i rozmyślał do rana nad tym, co mu się przydarzyło. Zrozumiał, że stracił cały majątek przez swoją chciwość. Pocieszał się tym, że został mu kawałek ziemi, który będzie mógł uprawiać i na którym będzie mógł odbudować swój dom.

Czarodziej

Pewnego razu czarodziej wybrał się na spacer po lesie. Miał na sobie płaszcz, dzięki któremu mógł się zmieniać w zwierzęta lub rośliny. Kilka dni wcześniej kupił dwa takie płaszcze na targowisku magii i czarów. Postanowił więc sprawdzić ich działanie. Szedł i co kilka kroków wypowiadał zaklęcia:

„Czarodziejską nitkę przędę
I za chwilę sosną będę...
Czarodziejską nitkę przędę
I zajączkiem zaraz będę...”

Gdy tylko wypowiedział jakieś zaklęcie, zmieniał się zgodnie z życzeniem. Był tak zajęty, że nie zauważył lisa, który przyglądał mu się zza krzaczka.

Lis pomyślał, że przyda mu się płaszcz czarodzieja. Postanowił zdobyć go podstępem. Kiedy czarodziej przechodził obok strumyka, lisek położył się na ścieżce i udawał chorego.
– Jestem bardzo słaby, niech mi ktoś przyniesie łyczek wody – wołał.
Czarodziej, widząc chorego, zatrzymał się, żeby przynieść mu wody ze strumyka. By nie zamoczyć rękawów, zdjął płaszcz i położył go na kamieniu. Wtedy lis chwycił go w zęby i uciekł do lasu. Czarodziej nie zmartwił się, bo miał w szafie drugi płaszcz. Był też przekonany, że lis nie zna zaklęcia i nie wie, do czego służy to cudowne okrycie.

Jednak lis miał chytry plan. Pobiegł w pobliże podwórka, gdzie biegały kurczęta. Zarzucił płaszcz i wypowiedział zaklęcie:

„Czarodziejską nitkę przędę,
Kogucikiem zaraz będę..."

Przybrał postać koguta i podszedł pod sam płotek, za którym bawiły się kurczaczki. Nikt nie zwrócił na niego uwagi, bo koło płotu często przechodziły kury, kaczki i gęsi. Lis rozejrzał się, czy nikt nie idzie, i zawołał do kurcząt:

– Kurczaczki, jestem waszym wujkiem. Chodźcie ze mną. Zaprowadzę was do mamy, do mojego domku pod lasem.

Kurczątka, niczego nie podejrzewając, pomaszerowały za oszustem w stronę lasu.

Całe zdarzenie widziała myszka, która skryła się w wysokiej trawie. Myszka zauważyła, że jedna nóżka koguta wygląda jak lisia łapa. Zaniepokojona pobiegła do kurnika, aby opowiedzieć kurom, co widziała. Kury natychmiast domyśliły się, że to lisi podstęp. Wszczęły alarm, ale było już za późno. Lis z kurczętami był daleko. Prowadził je w stronę swojego domu, drepcząc na jednej nóżce koguciej, a drugiej lisiej. Niedokładnie zapiął czarodziejski płaszcz i na wystającą spod niego łapę nie zadziałały czary. Kurczęta jednak niczego nie zauważyły. Nowy wujek był dla nich bardzo miły i częstował je cukierkami.

Kiedy byli na miejscu, lis poprosił pisklęta, aby weszły do komórki. Kurczaczki wskoczyły do niej bez zastanowienia. Były pewne, że właśnie tam czeka na nie mama. Kiedy wszystkie były już w środku, lis zatrzasnął drzwi i zdjął czarodziejski płaszcz. Podskakiwał z radości, że tak łatwo udało mu się oszukać pisklaki. Był szczęśliwy, że przez pewien czas nie będzie musiał polować. Ma przecież w komórce spory zapas jedzenia. Tymczasem o porwaniu kurczątek dowiedziała się ich mama kwoka. Aby je ratować, pobiegła do chaty czarodzieja. Opowiedziała mu o porwaniu i poprosiła o pomoc.

Czarodziej od razu wiedział, kto jest sprawcą porwania. Przypomniał sobie, jak dzień wcześniej lis ukradł jego zaczarowany płaszcz. Domyślił się, że przebiegłe zwierzę musiało obserwować go z ukrycia, kiedy sprawdzał działanie płaszcza i wypowiadał na głos zaklęcia. Wiedział, że musi szybko obmyślić sposób na uratowanie maluchów. Na pewno zorientowały się już, że zostały porwane, i bardzo się boją. Przypomniał sobie, że ma w szafie zapasowy płaszcz. Dał go kurce i wytłumaczył, co musi zrobić, aby uratować swoje pisklęta.

Kurka natychmiast założyła płaszcz, dokładnie pozapinała wszystkie guziki i wypowiedziała zaklęcie:

„Czarodziejską nitkę przędę
I za chwilę wilkiem będę..."

Pod postacią wilka prędko dotarła do domku lisa. Udając jego przyjaciela, zaczęła rozmowę na temat kurcząt. Poradziła, żeby wypuścił je na świeże powietrze. Skubiąc trawkę, na pewno szybciej urosną. Lis posłuchał rady kolegi. Wszedł do komórki i – kiedy wygonił wszystkie kurczęta na trawę – kurka zatrzasnęła drzwi. Potem zdjęła czarodziejski płaszcz i przytuliła kurczęta. Na szczęście zdołała je uratować.

Nie tracąc czasu, kurza rodzina wróciła na podwórko, gdzie czekały na nią inne kury i mała polna myszka. Wszyscy bardzo się ucieszyli na ich widok, a myszka powiedziała do kurcząteк:
– Nie należy ufać obcym. Czasami ktoś, kto wydaje się miły i sympatyczny, może mieć złe zamiary. Dlatego należy być ostrożnym.

W poszukiwaniu talentu

Była ciepła wiosna. Koziołek Rogatek pasł się z mamą na pastwisku i przyglądał się wszystkiemu z uwagą. Podziwiał stokrotki, żaby skaczące w trawie i kolorowe motyle. Wsłuchiwał się w kumkanie żab i śpiew ptaków. W pewnym momencie usłyszał, jak ptasia mama mówi do małego skowronka: „Mój kochany, jak pięknie poćwierkujesz, na pewno masz wielki talent. Już wkrótce będziesz najlepszym śpiewakiem na łące". Koziołek, gdy tylko to usłyszał, pobiegł do swojej mamy. Zapytał, czy on też ma jakiś talent. Mama odpowiedziała synkowi: „Pani Natura każdemu dała jakiś talent. Należy go tylko odnaleźć i rozwijać".

Koziołek długo się zastanawiał nad tym, co powiedziała mama. Niewiele z tego zrozumiał, pobiegł więc do skowronka. Chciał się dowiedzieć, gdzie ptaszek odnalazł swój talent. Ten jednak nie potrafił pomóc koziołkowi. Zupełnie nie mógł sobie przypomnieć, gdzie i kiedy zauważył swoje zdolności. Na wszelki wypadek poprosił Rogatka, żeby zaśpiewał jakąś piosenkę. Mogło się przecież okazać, że on również ma talent muzyczny. Koziołek głośno zabeczał i natychmiast stało się jasne, że nie ma zdolności wokalnych.

Jednak maluch wcale się tym nie przejął. Pobiegł w stronę stawu, aby zapytać żabek, gdzie znalazły swój talent. Wszyscy mieszkańcy łąki wiedzieli, że tylko one posiadają umiejętność pięknego kumkania. Żabki na widok koziołka przerwały koncert. Wysłuchały go uważnie, pomyślały chwilę, a potem powiedziały, że nie pamiętają, gdzie i kiedy znalazły swój talent. Były jednak przekonane, że talent to coś takiego, co trzeba odszukać. Na wszelki wypadek poprosiły Rogatka, żeby zakumkał. Maluch zabeczał najpiękniej, jak umiał i od razu było wiadomo, że nie umie kumkać.

Rogatek nie zrażał się pierwszymi niepowodzeniami. Pobiegł na podwórko, gdzie przywitało go szczekanie psa. Maluch natychmiast zapytał go, czy ma jakiś talent. Burek wytłumaczył, że jest niezastąpiony w pilnowaniu podwórka. Potrafi chwycić złodzieja za nogawkę i rozpruć ją jednym szarpnięciem zębów. I zademonstrował to na suszących się na sznurze spodniach. Koziołek chwycił drugą parę spodni, ale nie wiedział, co z nimi zrobić. Wtedy wybiegła z domu gospodyni i przegnała ich obu. Maluch pomyślał, że taki talent jest nieprzydatny.

Mały koziołek nie wiedział, do kogo mógłby się zwrócić o pomoc. Ale czuł, że talent to coś bardzo dobrego, co chciałby mieć. Pobiegł więc dalej, w kierunku płotu, przy którym spacerowały kury. Jedne dreptały w kółeczko, a inne grzebały pazurkami w piasku, nie zwracając na niego uwagi. Koziołek przyglądał im się przez chwilę, a potem zwrócił się do nich grzecznie: „Ciekaw jestem, czy posiadają panie jakiś talent. Jeśli jest to grzebanie pazurkami w piasku, to ja też tak potrafię". Na potwierdzenie swoich słów Rogatek zaczął grzebać na przemian – raz jednym, raz drugim kopytkiem.

Kury wytłumaczyły maluchowi, że owszem, posiadają talent, ale nie jest to grzebanie pazurkami, tylko znoszenie jajek. Żadna z nich nie pamiętała, gdzie i kiedy ten talent znalazła. Ale wszystkie mówiły zgodnie, że to skomplikowane i żeby koziołek nawet nie próbował tego robić. Maluch podziękował kurkom za radę i pobiegł dalej. Czuł, że jego talent na pewno gdzieś jest, tylko musi się bardziej postarać, żeby go odszukać.

Rogatek biegł coraz dalej i dalej. Mijał pagórki, przeskakiwał przez strumyki, przemierzał polne drogi i leśne ścieżki. Czasami wbiegał na stromą górę, czując pod kopytkami usuwające się kamyki. Przeskakiwał przez wystające korzenie, a kopyta grzęzły mu w błocie albo w piasku. Biegnąc, rozglądał się za czymś, co mogło wyglądać jak jego talent. Jednak niczego takiego nie dostrzegł. W końcu wbiegł na szczyt wysokiej góry. Zatrzymał się, by podziwiać roztaczający się wokół widok. I wtedy zobaczył Panią Naturę siedzącą na jednym z kamieni.

Koziołek nie miał śmiałości, żeby się odezwać, więc się tylko ukłonił. A Pani Natura powiedziała: „Siedzę na tej górze, bo widać z niej całą okolicę. Obserwowałam, z jakim zaangażowaniem szukasz swojego talentu. Słyszałam, o czym rozmawiałeś ze zwierzętami na łące i na podwórzu. Ale najważniejsze jest to, co zrobiłeś później. Biegłeś coraz szybciej i szybciej, mimo że wiatr chciał cię zatrzymać. Nie przestraszyłeś się deszczu, który zmoczył twoje futerko. Biegłeś od rana aż do wieczora, bo jesteś wytrzymały i szybki. I to jest twój talent, koziołku – jesteś wspaniałym biegaczem”.

Rogatek, pomimo wielkiego zmęczenia, podskakiwał ze szczęścia. Nareszcie odnalazł to, o czym marzył. Nie wiedział tylko, czy jego talent czekał na niego na skalistym szczycie, czy był w nim przez cały czas. Koziołek napił się kilka łyków wody ze źródełka, ukłonił się Pani Naturze i zaczął zbiegać po zboczu. Chciał jak najprędzej opowiedzieć mamie swoją przygodę. A biegło mu się wyjątkowo lekko. Czuł, jakby jego kopytka mocniej odbijały się od podłoża, a w nóżkach było więcej siły. Nie zdziwiło go to, bo przecież teraz biegł z talentem. A talent jest właśnie po to, aby robić coś wciąż lepiej i lepiej.

Był późny wieczór, kiedy koziołek przybiegł na łąkę. Przywitał się z mamą, która już się niepokoiła jego nieobecnością. Potem jeszcze zrobił galopem rundkę wkoło pastwiska i krzyknął: „Pani Natura każdemu dała jakiś talent. Trzeba się tylko troszkę postarać, żeby go odszukać. Ja swój już znalazłem!”.

Królewna Marudella

Na wysokiej górze stał pałac, w którym mieszkała królewna Marudella. Była niezwykle śliczna i mądra, ale bardzo rozkapryszona. Jej tata król zatrudnił mnóstwo służby, która miała za zadanie spełniać zachcianki królewny. Chociaż wszyscy bardzo się starali, Marudella wciąż chodziła nadąsana albo obrażona. Wszystko wokół okazywało się nie takie, jak życzyłaby sobie królewna. Róże były zbyt pachnące, śniadanie – zbyt obfite, ogród – za duży, sukienki – za długie albo za krótkie, lody – za zimne lub za słodkie.

Pewnego wieczoru królewna wyjrzała przez okno swojej sypialni i zobaczyła na niebie pięknie połyskującą gwiazdę. Pomyślała, że chciałaby mieć taką gwiazdę na własność. Jest to coś wyjątkowego, a ona lubi mieć rzeczy nadzwyczajne. Pobiegła zaraz do swojego taty z żądaniem, aby ten wydał odpowiednie rozkazy. Była przekonana, że najpóźniej do rana ktoś zdejmie dla niej gwiazdkę z nieba. Król aż pobladł, kiedy usłyszał życzenie córki. Był pewien, że ściągnięcie gwiazdki z nieba jest rzeczą niemożliwą do wykonania.

Mimo to wezwał do siebie kilku uczonych astronomów. Wiedział, że jeżeli nie podejmie żadnych starań, Marudella na wszystkich się obrazi. Przedstawił naukowcom życzenie córki, a oni po krótkiej naradzie orzekli, że jest ono niemożliwe do spełnienia. Wytłumaczyli, że gwiazdy są zawieszone wysoko nad Ziemią. Żadna drabina do nich nie dosięgnie ani żaden balon do nich nie doleci. Król przekazał córce wiadomość, że jej marzenie nie zostanie spełnione. Obiecał jej jednak, że w zamian podaruje jej klejnot, który będzie błyszczał równie pięknie jak gwiazda. Królewna nie przyjęła podarunku, nadąsała się i zamknęła w komnacie.

Marudella nie wyszła z komnaty przez cały następny dzień. Zapowiedziała, że opuści ją dopiero wtedy, gdy król zdobędzie gwiazdkę. Wieczorem królewna usiadła przy oknie i jak zwykle wpatrywała się w niebo. W pewnej chwili zobaczyła przelatującą tuż obok czarownicę Czeremchę, która lubiła robić ludziom różne psikusy. Po chwili znów przemknęła w pobliżu okna i wylądowała na balkonie. Zsiadła z miotły, oparła ją o balustradę i powiedziała do królewny: „Witaj, moje dziecko. Mogę zdjąć dla ciebie gwiazdkę z nieba, jeśli ty zgodzisz się dać mi swoją urodę”.

Królewna zgodziła się bez zastanowienia. Czarownica odleciała, a po chwili wróciła z gwiazdą, którą wskazała Marudella. Dziewczynka otworzyła okno, a czarownica podała jej wyjątkowy prezent. Niestety, jednocześnie zabrała jej urodę, z czego królewna nie zdawała sobie sprawy. Do późnej nocy podziwiała swój nadzwyczajny skarb, aż w końcu zmęczona zasnęła, trzymając go w dłoni. Rano obudziło ją pukanie do drzwi. Służba przyszła sprawdzić, w jakim nastroju jest królewna. Marudella zaprosiła służące do środka, ale gdy tylko otworzyła drzwi, te stanęły jak osłupiałe, a potem z krzykiem pobiegły w stronę królewskiego gabinetu.

Dziewczynka pomyślała, że to jej gwiazda zrobiła na nich tak wielkie wrażenie. Tak jak się spodziewała, po chwili w drzwiach stanął jej tata ze strażą pałacową u boku. Zażądano od niej natychmiastowego oddania królewny Marudelli. Dopiero wtedy biedna dziewczynka przypomniała sobie, że zgodziła się oddać czarownicy swoją urodę. Nikt nie mógł jej rozpoznać, bo teraz przyjęła postać wiedźmy. Próbowała wytłumaczyć, co się stało w nocy, ale nikt jej nie słuchał. Wszyscy byli przekonani, że jest czarownicą Czeremchą, która uwięziła gdzieś królewnę.

Zrozpaczona Marudella została wygnana z pałacu. Wiedziała, że postąpiła zbyt pochopnie, zgadzając się na warunek czarownicy. Usiadła pod drzewem i zastanawiała się, co robić dalej. Tymczasem w pałacu rozpoczęto poszukiwania królewny. Król wyznaczył olbrzymią nagrodę za informację, która przyczyniłaby się do odnalezienia córki. Heroldowie jeździli po całym królestwie i wzywali mieszkańców do poszukiwań. Czas mijał, jednak król się nie poddawał i wyznaczał coraz wyższą nagrodę za jej odnalezienie. Niestety, po królewnie ślad zaginął.

Błąkając się po królestwie, dziewczynka postanowiła odnaleźć czarownicę i poprosić ją o zwrócenie urody. Wiele dni wędrowała od jeziora do jeziora, od mokradeł do mokradeł, aż któregoś wieczoru odnalazła chatkę w czeremchowym lasku. Domyśliła się, że to chatka wiedźmy, bo przy drzwiach stała miotła, na której Czeremcha przyleciała na jej balkon. Dziewczynka ostrożnie zapukała do drzwi, a te natychmiast się otworzyły. Weszła więc do środka i wyjęła z kieszeni swoją gwiazdkę. Gwiazda rozświetliła pomieszczenie i wtedy królewna zobaczyła, że w drugim końcu chaty w bujanym fotelu siedzi wiedźma z jej własną twarzą.

– Po co przyszłaś? – zapytała czarownica Czeremcha. – Przecież dostałaś już to, o co prosiłaś. A ja w zamian wzięłam to, na co wyraziłaś zgodę.

Królewna Marudella wyjaśniła czarownicy, że postąpiła zbyt pochopnie. Nie zdawała sobie sprawy z konsekwencji, jakie może przynieść jej zachcianka. Czeremcha wysłuchała królewny, a potem powiedziała, że odda jej urodę, jeżeli Marudella spełni jej warunek. Położyła przed dziewczyną czystą kartkę papieru i węgielek wyjęty z popielnika. Królewna musiała do rana napisać na tej kartce zdanie, które wiedźma miała na myśli.

Królewna siedziała i siedziała, myślała i myślała... Ale skąd mogła wiedzieć, o czym myśli czarownica? W końcu nad ranem wzięła węgielek, napisała nim coś na kartce, a po chwili zasnęła. Kiedy się obudziła, okazało się, że leży we własnym łożu, w pałacowej sypialni. Odetchnęła z ulgą, że to był tylko koszmarny sen. Wstała szybciutko, by pobiec przeprosić króla za swoje grymasy, i wtedy zobaczyła leżącą na nocnej szafce kartkę. Na niej czarnym węglem zapisano zdanie: „Nie należy kierować się zachciankami, a ważne decyzje trzeba podejmować z rozwagą”.

Przepowiednia dla króla

Dawno temu, daleko stąd było królestwo, którym władał młody król. Był on bardzo ciekawy, jak potoczy się jego panowanie. Zaraz po objęciu tronu rozkazał nadwornemu astrologowi, aby ten sporządził dla niego horoskop. Astrolog natychmiast przystąpił do pracy. Coś kreślił, obliczał, a po kilku dniach przedstawił królowi przepowiednię, którą wyczytał w gwiazdach. Według niej panowanie młodego króla miało być długie i szczęśliwe, bez wojen i kataklizmów. Jednak wróżba mówiła wyraźnie, że władca utraci coś, co będzie dla niego najcenniejsze. Nie wiadomo natomiast, czy kiedykolwiek zdoła odzyskać.

Przepowiednia zaniepokoiła króla. Postanowił się przygotować na utratę czegoś, co może mieć dla niego największą wartość. Pomyślał, że jeżeli miałby to być cudowny pałac, to musi wybudować drugi, równie piękny. Jeśli zniknie jeden z nich, łatwiej mu będzie pogodzić się ze stratą. Jeżeli zaś miałby stracić kosztowności znajdujące się w skarbcu, musi zgromadzić czym prędzej mnóstwo klejnotów w innym miejscu. Na wszelki wypadek powinien też posiadać kilka komnat wypełnionych wspaniałymi szatami, mnóstwo cudownych powozów i stada szlachetnych wierzchowców.

Król nie wiedział przecież, o jakiej cennej rzeczy mówiła przepowiednia. Postanowił zebrać tyle wartościowych przedmiotów, aby nie odczuć zbyt boleśnie żadnej straty. Budował pałace, ogrody, stadniny i gromadził coraz więcej bogactw. Ponieważ potrzebował funduszy, musiał nałożyć duże podatki na swoich poddanych. Dlatego też żyli oni w coraz większym ubóstwie. Mijały lata. Z czasem król przestał się martwić przepowiednią, bo swój majątek pomnożył już kilkakrotnie. Coraz częściej przychodziła mu do głowy myśl, że astronom popełnił błąd w obliczeniach i przepowiednia wcale się nie spełni.

Pewnego wieczoru, kiedy król położył się w swoim cudownym łożu, poczuł, że materac wypełniony łabędzim puchem uwiera go w plecy. Władca pomyślał, że pod materacem znajduje się jakiś twardy przedmiot, wezwał więc służbę. Ta jednak nie znalazła niczego. Ale na wszelki wypadek wymieniono materac, poduchy i pierzyny. Król ułożył się do snu, lecz nowy materac był równie niewygodny jak poprzedni. Rano władca ubrał się w eleganckie szaty i już po chwili poczuł swędzenie na całej skórze. Zdenerwowany wezwał służącego, który natychmiast przyniósł królowi nowy strój. Jednak sytuacja się powtórzyła.

W końcu król został w samej bieliźnie i czekał na przyjazd medyka. Miał on ustalić, na jaką przypadłość cierpi władca. Przybyły na miejsce lekarz zbadał króla i orzekł, że jest on zdrowy. Jednak jego skóra nie toleruje jedwabiu, złoceń i kontaktu ze szlachetnymi kamieniami. Nadworny krawiec natychmiast przygotował dla króla ubranie z bawełny, w którym władca czuł się dobrze i mógł zasiąść do wykwintnego śniadania. Tymczasem wieść o złym samopoczuciu króla rozeszła się szybko po pałacu. Dotarła także do kuchni, dlatego kucharze usunąć postarali się, aby królewskie śniadanie było wyjątkowe.

Przyrządzono potrawy, które król lubił najbardziej. Podano je na najcenniejszej zastawie, jaka była w pałacu. Niestety, władcy tego dnia nic nie smakowało. Jedno danie było przesolone, inne gorzkie, kolejne zbyt kwaśne. Król zaczął podejrzewać u siebie jakąś chorobę, która powoduje utratę smaku i swędzenie skóry. Nie powiedział o tym nikomu, tylko poszedł do stajni, aby pojeździć konno. Miał nadzieję, że gdy się zrelaksuje, wszystko wróci do normy. Wszedł do stajni, zastanawiając się, którego wierzchowca powinien kazać osiodłać.

W pewnej chwili w boksie jednego z koni zobaczył kromkę suchego chleba, którą ktoś przyniósł dla swojego ulubieńca. Król poczuł, że ma na nią chęć, a ponieważ był głodny, ugryzł kawałek. Okazało się, że chleb, chociaż suchy, smakuje zwyczajnie. Nie jest ani słony, ani gorzki, ani kwaśny. W czasie, gdy siodłano wierzchowca, król zjadł ukradkiem suchą kromkę. Pomyślał też o zwolnieniu kucharzy, którzy prawdopodobnie celowo popsuli smak potraw. Kiedy osiodłano najcenniejszego rumaka, król dosiadł go i ruszył w stronę lasu. Jednak już po chwili władca poczuł nieprzyjemny szum w uszach.

Gdy wierzchowiec przyśpieszał, szum w uszach narastał. Po pewnym czasie jazda stała się nie do zniesienia. Król zdał sobie sprawę, że jego dolegliwości to objawy jakiejś dziwnej choroby. Wrócił do pałacu i wezwał medyków z całego królestwa, aby go zbadali, postawili diagnozę i przygotowali lekarstwo. Niestety, lekarze nie potrafili powiedzieć, co dolega królowi. Choroba postępowała, a jej objawy pojawiały się w najmniej oczekiwanych sytuacjach. W każdej chwili król mógł się spodziewać swędzenia, dziwnego zapachu drażniącego nos, dzwonienia w uszach, napadu śmiechu lub nagłej senności.

W całym królestwie nie mówiono o niczym innym, tylko o tym, że król stracił to, co dla każdego człowieka jest najcenniejsze, czyli zdrowie. Pewnego dnia władca podjął decyzję, że rozda poddanym cały królewski majątek. Sam nie mógł się nim cieszyć ze względu na swoją chorobę, a poddani żyli w coraz większym ubóstwie. Z woli króla zliczono wszystkich mieszkańców królestwa, a następnie podzielono na tyle części królewskie dobra. Każdy poddany otrzymał różne bogactwa, które mógł spożytkować w dowolny sposób.

Życie ludzi natychmiast się poprawiło. Od tamtej pory wszyscy cieszyli się szczęściem i dobrobytem. Król nigdy nie żałował swojej decyzji, bo od chwili, gdy pozbył się nadmiernego luksusu i przepychu, objawy choroby zaczęły zanikać. Wkrótce władca całkowicie wyzdrowiał i znów mógł robić to, na co tylko miał ochotę. Król odzyskał coś, co miał najcenniejszego – zdrowie. A wraz ze zdrowiem – szacunek i miłość poddanych.

Kłopoty zabawek

W pewnym mieście mieszkał chłopiec. Jego pokoik był pełen wspaniałych zabawek. Niestety, chłopiec nie dbał o nie. Często zostawiał je na dworze i zapominał zabrać do domu. Niektórym zabawkom brakowało części, inne były zepsute, jeszcze inne po prostu brudne. Pewnego dnia chłopiec naderwał łapkę misiowi, a innym razem przedziurawił piłkę. Wagoniki w jego kolejce elektrycznej nie miały kółek, a klocki nie były ułożone w pudełku. Pluszowy piesek miał futerko umorusane w sadzy, samochodzik – wybity reflektor, a koniowi na biegunach brakowało pół grzywy.

Pewnej nocy, kiedy wszyscy w domu spali, zabawki zeszły z półek. Usiadły w kącie pokoju i zaczęły się użalać nad swoim losem. W końcu doszły do wniosku, że jedynym wyjściem będzie ucieczka. Nie chciały mieszkać z chłopcem, który nie potrafi ich szanować i źle się z nimi obchodzi. Po długiej dyskusji postanowiły, że wyruszą w podróż do krainy wiecznych śniegów, do Świętego Mikołaja. On najlepiej zna się na zabawkach i na ich kłopotach. Po cichutku wymknęły się z domu chłopca i pomaszerowały na północ. To tam, jak im się wydawało, mieszka Święty Mikołaj.

Kiedy nastał ranek, chłopiec otworzył oczy i od razu zauważył, że półki w jego pokoju są puste. Nie ma konia na biegunach, który stał obok stolika, ani nawet dziurawej piłki. Pokój wydał mu się pusty i trochę smutny. Jednak nie zmartwił się tym zbytnio. Pomyślał, że jego zabawki i tak nie były w dobrym stanie. Przez cały dzień próbował się czymś zająć, ale wkrótce zaczęło mu ich brakować. Pomyślał, że chętnie pojeździłby na koniku albo przytulił swojego misia, który zawsze go pocieszał w chwilach smutku. Miał nadzieję, że zabawki wyszły tylko na spacer i wkrótce do niego wrócą.

Kiedy obudził się następnego dnia, półki w jego pokoju nadal były puste. Wtedy chłopiec zapytał Słoneczko, czy nie widziało zabawek. Słoneczko poradziło, aby chłopiec porozmawiał z Księżycem, bo zabawki zniknęły przecież w nocy. Wieczorem, gdy tylko Księżyc pojawił się na niebie, chłopiec zapytał go o zabawki. Przyznał, że bez nich czuje się samotny i że bardzo chciałby je odzyskać. Księżyc zamrugał srebrzystym okiem i powiedział, że widział, jak zabawki wymknęły się z domu. Słyszał też, jak narzekały na złe traktowanie. Nie wiedział jednak, gdzie poszły, bo nadciągnęła wielka chmura i zasłoniła mu widok.

Tymczasem zabawki pokonały długą drogę, kierując się na północ. Pytały po drodze wszystkich, gdzie mieszka Święty Mikołaj, ale nikt nie wiedział. Gdy były już daleko od domu, a wokół leżał śnieg, spotkały renifera. Ten znał drogę, bo często pomagał Świętemu Mikołajowi rozwozić prezenty. Aby zabawki nie musiały dalej brnąć w śniegu, renifer wziął je na grzbiet i zawiózł na miejsce. Mikołaj był akurat zajęty czytaniem listów od dzieci i przygotowywaniem świątecznych paczek. Kiedy zobaczył gości, przerwał pracę i przywitał ich serdecznie.

Zabawki opowiedziały Mikołajowi swoją historię i poprosiły o pomoc. Miś pokazał swoją naderwaną łapkę, konik – wyskubaną grzywę, autko – potłuczony reflektor, a pluszowy piesek – brudne od sadzy futerko. Mikołaj doskonale znał się na zabawkach, bo często sam je robił. Naprawił więc autko, przyszył naderwaną łapkę misia i dokleił grzywę konikowi. Wyczyścił futerko pieska i zrobił nowe kółka do wagoników kolejki. Potem zakleił dziurę w piłce i ułożył klocki w pudełku. Kiedy uporał się z tą pracą, zmęczone zabawki zasnęły, a on powrócił do swoich obowiązków.

Święty Mikołaj czytał listy od dzieci i pakował do pudełek to, o co prosiły. Kiedy otworzył kolejny list, okazało się, że napisał go chłopiec, który utracił swoje zabawki. Marzył o tym, aby je odzyskać, ale nie wiedział, gdzie ma ich szukać. Nie prosił Mikołaja o nowe autka i pluszaki, tylko o wskazówkę. Chciał wiedzieć, co powinien zrobić, aby znów się bawić swoim misiem i konikiem. Mikołaj domyślił się, kto jest nadawcą listu. Rano przeczytał go swoim gościom i zapytał, czy zechciałyby wrócić do chłopca, który bardzo za nimi tęskni. Zabawki natychmiast postanowiły, że wyruszają w drogę powrotną.

Ale Święty Mikołaj miał inny pomysł. Zapakował wszystkie zabawki do wielkiego pudła, przewiązał je kokardą i włożył do sań. Ponieważ święta były tuż-tuż, postanowił sam zawieźć prezent do chłopca. W dzień Wigilii, gdy na niebie zaświeciła pierwsza gwiazdka, Mikołaj wyruszył w podróż po świecie. Odwiedził wszystkie dzieci – i te, które napisały do niego listy, i te, które były małe i nie znały jeszcze literek. W każdym domu witano go z wielką radością, a każde dziecko recytowało dla niego wierszyk albo śpiewało piosenkę.

W końcu Święty Mikołaj dotarł do chłopca, który wciąż był smutny z powodu swojej straty. Malec bardzo się ucieszył z odwiedzin Mikołaja, chociaż zamiast nowych zabawek wolałby te, które od niego odeszły. Nie deklamował też wierszyków jak inne dzieci, tylko obiecał, że będzie szanował wszystkie swoje autka, pluszaki, klocki i piłki.

Kiedy Mikołaj odjechał, chłopiec odwiązał kokardę i otworzył wielkie pudło. Jak wielka była jego radość, kiedy odnalazł w nim wszystkie utracone zabawki! Wyglądały jak nowe, bo były naprawione i czyste. Chłopcu wydawało się, że uśmiechały się do niego, chociaż nigdy przedtem tego nie dostrzegł. Ustawił je na półkach, a potem wyjrzał przez okno, aby podziękować jeszcze raz Mikołajowi. Ale ten był już bardzo daleko. Tylko Księżyc patrzył na chłopca z wysoka, a potem powiedział: „Łatwo jest stracić coś, o co się nie dba. Ale bardzo trudno to odzyskać".

Zaczarowany kufer

Pewnego wieczoru drwal wracał do domu po ciężkim dniu pracy. Wóz był ciągnięty przez Kasztanka, który pomagał drwalowi przy wyrębie. Droga do domu prowadziła leśnymi dróżkami. Koń znał je doskonale, dlatego drwal uciął sobie krótką drzemkę. W pewnej chwili otworzył oczy, bo koń zatrzymał się i zarżał. Chłop spojrzał przed siebie i zobaczył wielki kufer stojący na środku drogi. Zszedł z wozu, ostrożnie zbliżył się do skrzyni i uniósł ją, by sprawdzić, czy jest w niej bagaż. Kufer był lekki i drwal bez trudu przesunął go na bok. Już miał ruszać dalej, kiedy pomyślał, że przydałby mu się taka skrzynia w domu.

Na wszelki wypadek rozejrzał się i zawołał, by się upewnić, czy nie ma gdzieś w pobliżu właściciela zguby. Wokół panowała cisza jak makiem zasiał. Drwal zapakował skrzynię na wóz i pojechał z nią do domu. Na miejscu otworzył wieko, żeby sprawdzić, co jest w środku. Tak jak się spodziewał, skrzynia była pusta. Ustawił ją pod ścianą, a potem schował do środka piłę i siekierę, których używał przy wyrębie.

Następnego dnia rano jak zwykle szykował się do pracy. Zjadł śniadanie, zaprzągł do wozu Kasztanka i poszedł po narzędzia, które schował w skrzyni. Lecz gdy otworzył wieko, okazało się, że wewnątrz są dwie piły i dwie siekiery. Drwal pomyślał, że musiał być bardzo zmęczony i dlatego nie pamięta, ile narzędzi schował do kufra. Nie myśląc o tym dłużej, wsiadł na wóz i pojechał do pracy. Cały dzień pracował przy wyrębie, a wieczorem Kasztanek przywiózł go do domu. Wszystko powtórzyło się jak poprzedniego wieczoru. Drwal odprowadził konia do stajni, zjadł kolację, schował narzędzia i poszedł spać.

Kiedy rano otworzył wieko kufra, znalazł wewnątrz trzy piły i trzy siekiery. Zrozumiał, że skrzynia ma niezwykłe właściwości. Drwal wyjął z niej wszystkie narzędzia i włożył do niej garnek z zupą. Odczekał chwilę, a potem otworzył skrzynię. Wewnątrz były dwa identyczne garnki, pełne smakowitej zupy. Kufer pomnażał wszystko, co do niego włożono. Tego dnia drwal postanowił nie iść do pracy. Chciał wykorzystać niezwykłe właściwości skrzyni.

Zaczął pomnażać wszystko, co znalazł w pobliżu. Wkładał do skrzyni ubrania i naczynia, a nawet ziemniaki i woreczki z mąką. Wieczorem całe podwórze było pełne różnych mniej lub bardziej potrzebnych rzeczy. Chłop popatrzył na nie i doszedł do wniosku, że bardziej przydałyby mu się pieniądze. Następnego dnia wrzucił do skrzyni monetę i po chwili wyjął dwie identyczne. Na tej czynności upłynął mu kolejny dzień. Wrzucał jedną monetę, wyjmował dwie, a pod wieczór miał całą sakiewkę pieniędzy.

Drwal pomyślał, że mając cudowny kufer, nie musi już zajmować się wyrębem. Za pomnożone pieniądze może wybudować piękny dom i żyć jak prawdziwy szlachcic. Przez cały tydzień pracował wytrwale, wrzucając i wyjmując monety ze skrzyni. Zebrał w ten sposób siedem sakiewek z monetami. Jednak to wciąż było zbyt mało, aby rozpocząć budowę domu. Pomyślał, że gdyby było ich dwóch, jeden mógłby zająć się pomnażaniem pieniędzy, a drugi – zwożeniem materiałów budowlanych. Niewiele myśląc, wszedł do skrzyni, przykucnął i zamknął za sobą wieko. Po chwili poczuł, że ktoś rozpycha się w kufrze.

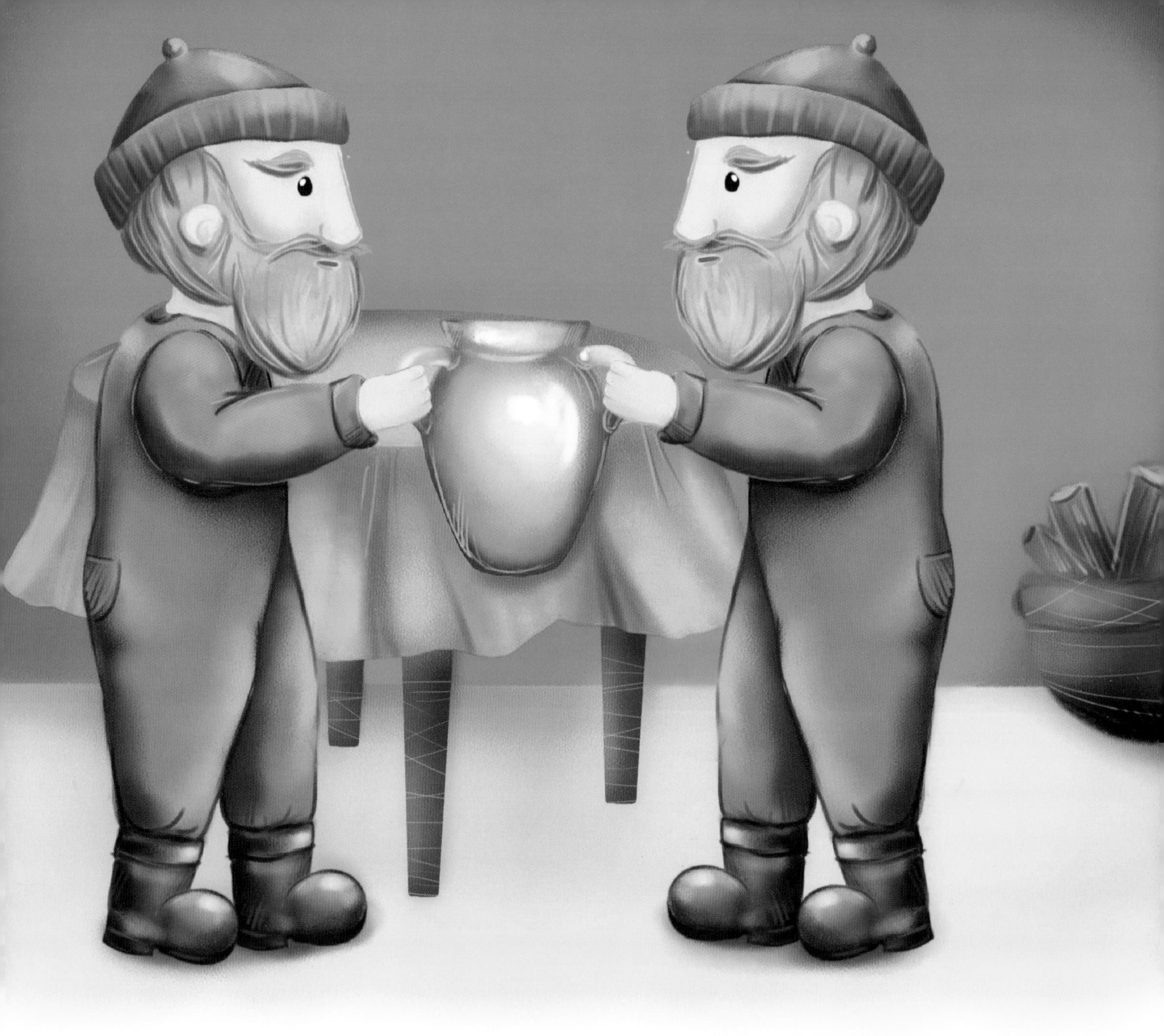

Natychmiast otworzył pokrywę i wyprostował się. Obok siebie zobaczył drugiego, identycznego drwala. Podniósł nogę, aby wyjść z kufra, a drugi mężczyzna zrobił dokładnie to samo. Postawił trzy kroki i zatrzymał się koło stołu – drugi drwal dalej go naśladował. Uniósł dzban za jedno ucho, a po chwili sobowtór trzymał naczynie za drugie ucho. Robili wszystko równocześnie i jednakowo. Po pewnym czasie życie drwala stało się nie do zniesienia. Niemożliwe było, aby każdy z nich zajął się czymś innym, tak jak planował. Drwal szybko zaczął żałować, że przyszedł mu do głowy taki pomysł.

Po kilku dniach zaczął się zastanawiać, który z nich jest prawdziwy, a który powstał w niezwykłej skrzyni. Na szczęście przypomniał sobie, że w lesie mieszka czarnoksiężnik, który zna się na magii. Wiedział, że tylko on może znaleźć sposób na pozbycie się sobowtóra. Natychmiast wyruszył w drogę, a drugi drwal nie odstępował go na krok. Przed nocą dotarli do chaty ukrytej w głębi lasu. Weszli do środka i zobaczyli czarnoksiężnika siedzącego przed kryształową kulą. Staruszek wszystko potrafił wyczytać w jej wnętrzu, dlatego wiedział, z czym do niego przyszli.

„Jest tylko jedna rada – powiedział. – Musisz wrócić do domu i przerąbać skrzynię na dwie części. Wtedy wszystko, co zostało w niej pomnożone, zniknie". Chłop podziękował za pomoc i wrócił do domu. Chociaż żal mu było sakiewek pełnych złotych monet, wziął najostrzejszą siekierę i razem z sobowtórem uderzył w zaczarowany kufer. Skrzynia rozpadła się na dwie części i natychmiast zaczęły znikać wszystkie pomnożone przedmioty. Zniknęły sakiewki z monetami stojące na stole i zniknął drugi drwal, który przed momentem trzymał siekierę.

Chłop odetchnął z ulgą i udał się na spoczynek. Spał wyjątkowo dobrze, a rano obudził się wypoczęty i rześki. Zjadł śniadanie, zaprzągł do wozu Kasztanka i wyruszył do pracy przy wyrębie. A w drodze powiedział: „Teraz już wiem, mój Kasztanku, że chęć szybkiego wzbogacenia się prowadzi najczęściej do straty”.

Królewna zaklęta w kamień

W środku lasu, w chatce otoczonej jałowcami, mieszkała wiedźma Pietrucha. Była bardzo złośliwa. Gdy tylko miała okazję, robiła wszystkim niemiłe psikusy. Kiedyś dowiedziała się, że książę mieszkający w pałacu po drugiej stronie jeziora urządza wielki bal. Do pałacu zaproszone będą wszystkie królewny, aby książę mógł wybrać sobie żonę. Wiedźma Pietrucha pomyślała, że ma już dość życia w lesie. Byłoby przyjemnie zostać żoną księcia i zamieszkać w pięknych komnatach. Wiedziała, że aby zdobyć serce młodzieńca, musi zmienić swój wygląd i nauczyć się dobrych manier.

Wiedźma przywołała do siebie kota Czar-mara, który znał wszystkie zaklęcia świata. Pogłaskała go po grzbiecie i poprosiła, by zdradził jej dwa zaklęcia. Jedno miało sprawić, że zmieni się w śliczną pannę, ubraną jak królewna. Dzięki drugiemu z kolei miała nabrać dworskich manier, by odpowiednio zachować się podczas przyjęcia. Kot, w zamian za kilka plasterków słoninki, chętnie nauczył wiedźmę odpowiednich zaklęć. Znając je, Pietrucha w każdej chwili mogła zmienić się w królewnę i oczarować władcę swoją urodą i ogładą.

Kiedy przyszedł dzień wielkiego balu w pałacu, wiedźma wypowiedziała magiczne słowa. Podając się za królewnę z odległego kraju Barabaju, dostała się na przyjęcie. Nie wiedziała, jak długo będzie działać zaklęcie, więc na wszelki wypadek wypowiadała je co kilka minut. Księciu bardzo spodobała się panna z kraju Barabaju, więc tańczył tylko z nią. Nie domyślał się nawet, że ta piękna i mądra królewna może być wiedźmą, która podstępem chce zdobyć jego serce. Pietrucha bawiła się tak wspaniale, że w końcu zapomniała o powtarzaniu zaklęcia.

W pewnej chwili stało się to, czego wiedźma obawiała się najbardziej – czar przestał działać i wróciła do swojej zwykłej postaci. Książę natychmiast wezwał straż, która wyprowadziła oszustkę. Pietrucha wróciła zła do swojej chatki, a młodzieniec jeszcze tego samego wieczoru zakochał się w królewnie Malwince. Nazajutrz ogłosił zaręczyny, co jeszcze bardziej rozdrażniło wiedźmę. Za swoje niepowodzenie obwiniła kota Czar-mara i wygnała go na cztery wiatry. Postanowiła też nie dopuścić do ślubu księcia z królewną Malwinką i rzuciła na dziewczynę urok, zmieniając ją w kamień.

Kiedy Malwinka nie zjawiła się na ceremonii zaręczyn, rozpoczęto poszukiwania. Przeszukano wszystkie komnaty i pałacowy ogród. Jednak królewna przepadła bez wieści. Poddani przestali w końcu wierzyć, że ją znajdą. Ale książę wychodził co dzień i pytał wszystkich o zaginioną królewnę. Pewnego poranka, gdy siedział smutny pod drzewem, zobaczył czarnego kota. Zwierzę było wychudzone, więc książę domyślił się, że jest bezdomne i potrzebuje pomocy. Wziął kota na ręce i zaniósł do pałacu, gdzie go nakarmiono. Zwierzę dostało własną poduszkę, którą położono przy piecu, aby zawsze było mu ciepło.

Młodzieniec nie miał pojęcia, że kot, którego przygarnął, jest Czar-marem znającym się na czarach. Jednak kot postanowił odwdzięczyć się swojemu wybawcy i pomóc mu odnaleźć Malwinkę. Któregoś wieczoru przemówił do księcia ludzkim głosem. Opowiedział mu o tym, jak Pietrucha wygnała go z domu, a Malwinkę zamieniła w kamień. Wytłumaczył też, jak można cofnąć urok. Było to niezwykle trudne. Dokładnie o północy należało trzykrotnie wypowiedzieć zaklęcie, trzymając w dłoniach kamień, w którym uwięziona jest królewna. I trzeba było stać dokładnie w tym miejscu, w którym czar zaczął działać.

Książę wezwał służbę i zapytał, czy po zaginięciu królewny widziano w pałacu polny kamień. Jedna z pokojówek powiedziała, że znalazła na schodach kamień, ale wyrzuciła go przez okno. Książę wezwał ogrodnika i zapytał, czy nie znalazł kamienia pod pałacowym oknem. Ogrodnik przyznał, że znalazł kamień, ale zaniósł go do ogrodu skalnego. Młodzieniec pobiegł do ogrodu, aby przyjrzeć się leżącym tam kamieniom. Teren był rozległy, porośnięty kwiatami i drzewkami. Leżało tam mnóstwo kamieni różnej wielkości, ale żaden nie wyróżniał się niczym szczególnym.

Książę posmutniał, bo pomyślał, że niełatwo będzie trafić na kamień znaleziony na pałacowych schodach. Postanowił jednak za wszelką cenę odzyskać swoją narzeczoną. Tuż przed północą wrócił do ogrodu, aby zabrać ze skalniaka jeden kamień. Gdy tylko zegar zaczął wybijać północ, książę, trzymając go w dłoniach, powtórzył trzykrotnie zaklęcie: „Ogień, woda, wiatr i ziemia, wyjdź, Malwinko, już z kamienia". Niestety, okazało się, że to jest najzwyklejszy polny kamień. Młodzieniec oznaczył go farbą i odniósł do ogrodu.

Od tamtej pory książę każdej nocy przynosił do pałacu jeden kamień i, stojąc na schodach, wypowiadał zaklęcie. Mijały dni, tygodnie i miesiące. W pałacu zaczęto opowiadać, że książę z tęsknoty za narzeczoną postradał zmysły, bo każdej nocy rozmawia ze skałami. Niektórzy poddani drwili sobie z władcy, a medycy zastanawiali się, czy nie należałoby leczyć go z bezsenności.

Pewnej nocy, gdy książę wypowiadał zaklęcie, poczuł, że kamień w jego dłoniach jest coraz cieplejszy. W końcu zaczął parzyć i książę go upuścił. Kamień rozpadł się na kilka części, a przed księciem pojawiła się królewna Malwinka. Jakaż była ich radość! Następnego dnia wzięli ślub, po którym odbyło się huczne wesele. Młodej parze przez cały czas towarzyszył kot Czar-mar, który doskonale wiedział, że aby spełnić swoje marzenia, trzeba być wytrwałym i cierpliwym. Należy wierzyć w swoje możliwości i nie zrażać się niepowodzeniami.

Cudowny ogród

Dawno temu, nad brzegiem rzeki, rozciągała się wspaniała posiadłość. Należała ona do bogatego szlachcica, którego marzeniem było mieć najwspanialszy ogród na świecie. Na zrealizowanie swojego marzenia przeznaczył dużo pieniędzy, zatrudnił najznamienitszych ogrodników, a rośliny sprowadzał z najdalszych zakątków świata. Ogród został dokładnie zaplanowany i urządzony.

Były tam klomby pełne cudownych kwiatów, oranżeria, altany, fontanny i wodospady. Wszystkim roślinom stworzono doskonałe warunki, tak więc szybko się rozrastały, bujnie kwitły i owocowały. W ogrodzie mieszkało wiele gatunków ptaków, odwiedzały go wielobarwne motyle i ważki. Gospodarz codziennie spacerował pośród roślin, sprawdzając, czy żadnej z nich niczego nie brakuje.

Szlachcic był bardzo dumny ze swojego ogrodu, a najbardziej – z pięknych róż. Były one wyjątkowo dorodne, kwitły nieustannie od wiosny do jesieni, a ich cudowny zapach rozchodził się po całej okolicy. Do ogrodu często przyjeżdżali właściciele innych posiadłości, ogrodnicy i miłośnicy kwiatów, aby podziwiać tę przepiękną kolekcję. Gdy na dworze królewskim odbywały się ważne uroczystości, król zamawiał u szlachcica ogromne bukiety róż. Bo nawet w królewskich ogrodach nie było tak pięknych i niespotykanych odmian.

Nic więc dziwnego, że z czasem róże stały się wyniosłe i zarozumiałe. Z lekceważeniem odnosiły się do innych roślin ogrodowych. Gardziły także dzikimi kwiatami, które przypadkiem rozsiewały się na rabatkach. Zdarzało się tak niekiedy, gdyż ogród różany rozciągał się wzdłuż ogrodzenia, za którym była olbrzymia łąka. Ona również należała do szlachcica, ale nie przywiązywano do niej zbyt wielkiej wagi. Nie wypasano na niej zwierząt i koszono tylko raz do roku, aby nie porosła chwastami.

Mijały lata. Właściciel ogrodu ożenił się z piękną szlachcianką, a wkrótce na świat przyszła ich mała córeczka Różyczka. Dziewczynka była bardzo słabego zdrowia i ciągle zapadała na różne choroby. Wciąż męczyły ją katar lub kaszel, bóle brzuszka i brak apetytu. Do dziewczynki sprowadzano lekarzy, którzy przepisywali różne leki i zalecali spacery na świeżym powietrzu. Gdy tylko pogoda dopisywała, dziewczynka spacerowała po ogrodzie, podziwiając cudowne róże, które uprawiał jej tata.

Niestety, zdrowie Różyczki nie poprawiało się. Wkrótce dziewczynka przestała wychodzić do ogrodu, bo każdy spacer kończył się przeziębieniem. Ponieważ żadne lekarstwa nie pomagały, szlachcic postanowił zasięgnąć rady zielarki. Poszedł do wioski, gdzie mieszkała, i zapytał, czy zna jakiś środek, który uleczyłby jego córeczkę Różyczkę. Zielarka, która doskonale znała się na roślinach, odpowiedziała, że lekarstwa na wszelkie dolegliwości dziewczynki rosną na terenie jego posiadłości.

Zadowolony ojciec dziewczynki wrócił do domu. Wezwał ogrodnika i polecił mu naciąć kilka naręczy najpiękniejszych kwiatów, jakie znajdzie w ogrodzie. W pokoju Różyczki ustawiono mnóstwo wazonów z różami, liliami, piwoniami i ostróżkami. Kwiaty wymieniano codziennie na świeże, ale stan zdrowia dziewczynki się nie poprawiał. Szlachcic powtórnie zwrócił się o pomoc do zielarki i poprosił ją, aby sama zebrała odpowiednie kwiaty dla jego córeczki.

Zielarka poszła do ogrodu, ale nie zatrzymała się przy pięknych roślinach. Minęła altany, oranżerie i krzewy różane. Otworzyła furtkę i wyszła na łąkę, gdzie rosły dzikie kwiaty i zioła. Długo zbierała listki i płatki roślin. Gdy miała już pełen kosz, zaniosła je do oranżerii. Tam rozłożyła wszystkie zioła na olbrzymim stole, gdzie suszyły się przez kilka dni. Potem przyrządziła z nich pyszny napar, który Różyczka piła rano i wieczorem. Po tygodniu nabrała apetytu. Jej buzia zarumieniła i widać było, że dziewczynka nabiera sił.

Po kilku tygodniach Różyczka całkowicie wyzdrowiała. Mogła się bawić w ogrodzie z innymi dziećmi i nie musiała przyjmować żadnych lekarstw. Ojciec dziewczynki był bardzo wdzięczny zielarce. Chciał ją wynagrodzić całą sakiewką złotych monet, jednak kobieta nie przyjęła pieniędzy. Poprosiła jedynie, aby szlachcic pozwolił jej zbierać zioła na swojej łące. Wyjaśniła, że jest tam mnóstwo cudownych roślin, dzięki którym można wyleczyć wiele chorób.

Szlachcic spełnił życzenie zielarki. A ona każdego dnia zbierała lecznicze rośliny na łące nad rzeką. W pracy często pomagała jej Różyczka. Bardzo chciała poznać właściwości ziół, aby w przyszłości pomagać innym. A róże, które rosły w ogrodzie, przestały się pysznić i przechwalać. Zrozumiały, że niektóre kwiaty zachwycają swoim wyglądem, inne są źródłem cennych witamin, a jeszcze inne mają właściwości lecznicze. Nawet najbardziej niepozorna roślinka jest ważna i potrzebna, a jej wygląd nie świadczy o jej wartości.

Złote serce

W starym młynie na końcu wsi mieszkał zły czarnoksiężnik. Nikt z mieszkańców wioski nie zbliżał się do młyna, aby się z nim nie spotkać. Działo się tak dlatego, że czarnoksiężnik nie lubił ludzi ani zwierząt. Każdej napotkanej osobie wróżył jakiś przykry wypadek, który mógł się zdarzyć w każdej chwili. Jego przepowiednie zawsze się sprawdzały. Ludzie często mówili, że czarodziej z młyna jest okrutny i bez serca. Z czasem zaczęto nazywać go czarnoksiężnikiem bez serca, bo takie określenie doskonale do niego pasowało.

Mijały lata. W końcu przyszła taka chwila, że czarnoksiężnik poczuł się bardzo samotny. Od wielu lat nikt go nie odwiedzał i nikt z nim nie rozmawiał. Nawet ptaki omijały z daleka stary młyn na końcu wsi. Czarodziej pomyślał, że gdyby miał serce, jego przepowiednie mogłyby być dobre i radosne. Wtedy ludzie chcieliby się z nim spotykać, a on nie byłby już taki osamotniony. Kiedyś usłyszał przypadkiem, że w pobliskiej wsi mieszka Janek, który ma złote serce. Czarnoksiężnik zapragnął zdobyć je za wszelką cenę.

Tymczasem Janek nie zdawał sobie sprawy z grożącego mu niebezpieczeństwa. Choć ciężko pracował w gospodarstwie, zawsze był wesoły i chętnie pomagał sąsiadom. Dla każdego miał dobre słowo i uśmiech. Staruszce, która mieszkała w pobliżu, przynosił drzewo na opał, a zimą budował karmniki dla ptaków. Pewnego razu wybrał się do lasu na grzyby. Gdy znalazł się na rozstaju dróg, zobaczył czarnoksiężnika idącego w jego kierunku. Janek poczuł, że nie wróży to niczego dobrego, ale starał się nie zwracać na niego uwagi.

Czarodziej zatrzymał się jednak i zażądał od Janka, aby ten oddał mu swoje dobre, złote serce. Zagroził też, że jeżeli chłopiec się nie zgodzi, to wielka trąba powietrzna porwie jego dom i wszystkie zabudowania w gospodarstwie. Czarnoksiężnik nakazał, aby wieczorem Janek zjawił się ze swoim sercem na rozstaju leśnych dróg. W przeciwnym przypadku przepowiednia spełni się natychmiast. Zrozpaczony Janek wrócił do wioski, by spytać o radę sąsiadów. Niestety, nikt nie potrafił mu pomóc. Każdy był przekonany, że jeśli ich przyjaciel chce uratować życie, musi poświęcić cały swój dobytek.

Czas mijał nieubłaganie, a Janek wciąż miał nadzieję, że znajdzie jakieś rozwiązanie. W pewnym momencie przyszedł mu do głowy pomysł, który natychmiast zaczął realizować… Wsypał do miski mąkę, wbił jajka, dołożył łyżkę miodu i wyrobił ciasto na piernik. Przełożył je do formy w kształcie serca i upiekł na piękny, złoty kolor. Pachnące piernikowe serce ozdobił lukrem i zapakował do koszyka. Zaraz potem wyruszył do lasu, bo zbliżała się pora spotkania z czarnoksiężnikiem. Janek biegł, żeby się nie spóźnić. A kiedy dotarł na miejsce, czarodziej już na niego czekał.

– Czy przyniosłeś swoje dobre, złote serce? – zapytał.

– Tak, mam je w koszyku i chętnie ci je oddam. Jest bardzo dobre, możesz spróbować, a sam się przekonasz – odpowiedział Janek. Potem wyjął piernik z koszyka i podał go czarnoksiężnikowi. Ten najpierw skosztował kawałeczek, oblizał się ze smakiem, a potem zjadł całe piernikowe serce. A ponieważ było dość spore, czarnoksiężnik najadł się do syta i uciął sobie drzemkę pod drzewem.

Śniło mu się, że nie jest już czarodziejem, tylko młynarzem, który pracuje w swoim młynie. We śnie widział gospodarzy, którzy przywozili do młyna worki ze zbożem, a on mielił ziarno na mąkę. Wszyscy ze sobą rozmawiali i uśmiechali się do siebie, a on czuł się potrzebny i lubiany przez wszystkich. Kiedy czarnoksiężnik obudził się z drzemki, był pewien, że teraz ma serce. Poczuł, że może się zmienić.

Następnego dnia czarodziej ogłosił we wsi, że uruchomi młyn i zostanie młynarzem. Wziął się do pracy i wkrótce jego sen się spełnił. Zaczęło przyjeżdżać do niego wielu gospodarzy z pobliskich wiosek. A on nigdy już nie zajmował się złymi wróżbami. Czasem tylko przepowiadał pogodę, aby rolnicy mogli zaplanować prace w gospodarstwie. A Janek, któremu udało się uratować cały dobytek, często powtarzał, że jedno dobre serce, choćby było z piernika, może zdziałać dużo dobrego i uszczęśliwić wielu ludzi.

Skarby ducha gór

U podnóża wysokich gór położona była mała wioska. Jej mieszkańcy często opowiadali sobie legendę o skarbach ukrytych na jednym z wysokich szczytów. Mówiono, że dawno, dawno temu banda zbójców grasowała po okolicy i napadała na bogatych kupców. Zrabowane skarby zbójcy chowali w jaskini, która znajdowała się wysoko w górach. Złoczyńcy stawali się coraz bardziej zuchwali, aż w końcu duch gór postanowił ich ukarać. Przesunął wielką górę, zastawiając wejście do groty, gdzie znajdowały się kosztowności i złote monety.

Od tej pory nikt już nie widział zbójców w okolicy. Opowiadano, że wyjechali gdzieś daleko i wzięli się do uczciwej pracy, bo przestraszyli się nie na żarty. Legenda głosi, że duch gór odda skarb temu, kto będzie wiedział, jak go dobrze spożytkować. Kiedyś do wioski przyszedł wędrowiec, który zatrzymał się na nocleg w gospodzie. Wieczorem karczmarz opowiedział mu niezwykłą historię, której gość wysłuchał z zainteresowaniem. Przez całą noc myślał o skarbach ukrytych w pieczarze i o tym, jak mógłby je spożytkować.

Wyobrażał sobie, że mając skarb, nie musiałby pracować i kupowałby sobie wszystko, o czym tylko pomyśli. Postanowił, że rano pójdzie w góry, odnajdzie ukrytą jaskinię i zapuka w skałę, a duch gór odda mu wszystkie skarby. Naszykował prowiant na drogę i dwa wielkie worki, do których zamierzał zapakować pieniądze i klejnoty. Zjadł obfite śniadanie i wyruszył ścieżką prowadzącą w góry. Około południa wdrapał się na wysoki szczyt, z którego roztaczał się wspaniały widok. Wędrowiec zrobił kilka kroków i zauważył, że jedna ze skał błyszczała, jakby znajdowały się w niej drobiny złota.

Zszedł po stromym zboczu i zapukał trzykrotnie w błyszczący kamień, a wtedy skała zazgrzytała i zaczęła się przesuwać. Po chwili powstała szczelina, przez którą wszedł do ukrytej jaskini. Wewnątrz zobaczył beczkę wypełnioną po brzegi złotymi monetami i kosztownościami. Uszczęśliwiony wędrowiec wyjął worki, napełnił je skarbami i zarzucił na plecy. Chciał szybko wracać, bo zbliżał się wieczór. Bał się, że może nie znaleźć drogi do wioski i zabłądzić w górach.

Droga była jednak wyjątkowo trudna. Worki ciążyły wędrowcowi na plecach i wydawało mu się, że z każdym krokiem robią się coraz cięższe. Wkrótce doszedł do wniosku, że nie będzie w stanie ich donieść i musi zrezygnować z części skarbu. Kosztowności z jednego worka wysypał więc w szczelinę skalną, a pozostałe rozmieścił w dwóch workach, aby rozłożyć ciężar po równo. Zarzucił worki na ramiona i ruszył stromą ścieżką. Jednak po kilku krokach sytuacja się powtórzyła. Wędrowiec był pewien, że nie poradzi sobie z doniesieniem worków do gospody.

Znów z żalem wysypał zawartość jednego z nich w szczelinę skalną, a pozostały ciężar rozłożył na dwa ramiona i ruszył w drogę. Tym razem udało mu się przejść spory kawałek, ale po jakimś czasie worki ponownie stały się tak ciężkie jak na początku. Wiedział, że nie będzie mógł nieść ich dalej. Wyjął z każdego po kilka złotych monet, schował je do kieszeni, a worki wraz z zawartością wrzucił w skalną szczelinę. Mimo to wędrowiec czuł ogromne zmęczenie. Co chwilę odpoczywał i powoli stawiał nogę za nogą. Nad ranem wyczerpany, ale szczęśliwy dotarł do wioski.

Był pewien, że monety, które przyniósł w kieszeniach, mają dużą wartość. Wyobrażał sobie, że będzie mógł je wydawać przez wiele miesięcy. Wszedł do gospody, usiadł przy stole i zaczął opowiadać karczmarzowi przygodę, którą przeżył w górach. Na potwierdzenie swoich słów włożył ręce do kieszeni i chwycił znajdujące się w nich pieniądze. Lecz gdy otworzył dłonie, okazało się, że są one pełne żółtego piasku. Wędrowiec zrozumiał, że duch gór zadrwił z niego i że nikt nie uwierzy w jego opowieść. Wkrótce wyjechał i mieszkańcy wioski więcej go nie widzieli.

Kilka lat później okolicę nawiedziła wielka susza. Wyschły wszystkie uprawy i drzewa w sadach, a zboża na polach były bardzo wątłe. Po fali upałów rozpętały się burze, które połamały słabe zboża. Mieszkańcom wsi groziła bieda. Na domiar złego, w czasie jednej z burz piorun uderzył w stodołę, a ogień przeniósł się na pobliski dom. Mieszkająca tam rodzina straciła cały swój dobytek. Gospodarz, który znalazł się w trudnej sytuacji, przypomniał sobie opowieść o skarbach ukrytych w górskiej pieczarze.

Pomyślał, że jeżeli uda mu się odnaleźć skarb, odbuduje dom i gospodarstwo. Resztę bogactw przeznaczyłby na postawienie we wsi młyna, który by służył wszystkim mieszkańcom, oraz na remont starego mostu na rzece. A gdyby coś jeszcze pozostało, rozdzieliłby to pomiędzy sąsiadów. Wczesnym rankiem wyruszył ścieżką prowadzącą w góry. Kiedy dotarł na wysoki szczyt, zobaczył skałę, która błyszczała, jakby obsypana była drobinkami złota. Zszedł po zboczu, zapukał w skałę trzy razy, a wtedy kamień przesunął się, otwierając wejście do groty.

W grocie gospodarz znalazł beczkę wypełnioną po brzegi złotymi monetami i kosztownościami oraz dwa leżące przy niej worki. Przesypał zawartość beczki do worków, podziękował duchowi gór i ruszył w drogę powrotną. Chociaż ścieżka była stroma, szło mu się wyjątkowo łatwo. A worki, które zarzucił na plecy, zdawały się lekkie jak piórko. Kiedy wrócił do domu, cały skarb spożytkował tak, jak wcześniej zaplanował. Gospodarzowi nieustannie sprzyjało szczęście, bo szczęście sprzyja tym, którzy są uczciwi i lubią pomagać innym.

Bella i wodnik

Był ciepły, letni dzień. Hania włożyła do wózka swoją nową lalkę Bellę i wyszła z nią na spacer. Chodziła po ogrodzie, a potem rozłożyła kocyk pod drzewem i bawiła się, przebierając lalkę w różne sukienki. Czesała ją, wiązała jej kokardy i przymierzała błyszczące naszyjniki. Kiedy przyszła pora obiadu, mama zawołała córeczkę do domu. Hania pobiegła zjeść zupkę, a lalkę zostawiła na kocyku pod drzewem. Miała zamiar pobawić się nią po obiedzie, więc pomyślała, że Bella poczeka na nią na świeżym powietrzu.

Gdy tylko dziewczynka zamknęła za sobą drzwi domu, na koc przyfrunęła sroka, która wcześniej przez cały czas obserwowała bawiącą się Hanię. Lalka tak jej się spodobała, że postanowiła ją zdobyć. Chciała ją zanieść do swojego gniazda i dać do zabawy małym sroczkom. Kiedy dziewczynka zostawiła lalkę bez opieki, nadarzyła się świetna okazja, żeby ją porwać. Sroka chwyciła za rąbek sukienki Belli i uniosła lalkę do góry. Ta bardzo się przestraszyła i zaczęła wzywać pomocy, jednak z powodu bardzo słabiutkiego głosiku nikt jej nie usłyszał.

Sroka leciała w stronę lasu, mocno trzymając lalkę. Jednak Bella okazała się dla niej zbyt ciężka i wypadła jej z dzioba. Spadła wprost do stawu, który znajdował się pod nimi. Sroka nie mogła unieść Belli w górę, bo jej sukienka nasiąknęła wodą i lalka stała się jeszcze cięższa. Cały czas wzywała pomocy, a jej cieniutki głosik usłyszały żabki i ryby. Podpłynęły, aby pomóc jej wydostać się na brzeg, ale nie zdążyły. Bella powoli opadała coraz głębiej, aż znalazła się w gęstwinie zielonych wodorostów.

Wokół były gałęzie i patyki porośnięte glonami. Siedziały na nich ślimaki, które bardzo się zdziwiły, widząc lalkę. Nigdy w życiu nie spotkały podobnego stworzenia. Mimo to ostrzegły Bellę przed niebezpieczeństwem. Poradziły, aby wracała do domu, ponieważ trafiła do królestwa wodnika, a on nie lubi gości. Jednak Bella nie mogła się wydostać na powierzchnię, bo nie potrafiła pływać. W pewnej chwili zobaczyła zielonego stworka, który płynął w jej kierunku. Miał wielką głowę, z której wyrastały różnej długości wąsy, a jego palce były połączone błoną.

Lalka bardzo się przestraszyła. Domyśliła się, że to wodnik, który nie lubi obcych. Mimo to zdobyła się na odwagę i grzecznie się przywitała. Przedstawiła się i poprosiła, żeby wodnik pomógł jej wydostać się na powierzchnię. Ale on się roześmiał i odpowiedział, że nie zamierza nikomu pomagać, bo nigdy tego nie robił. Powiedział, że skoro lalka zjawiła się w jego królestwie bez zaproszenia, teraz musi pozostać u niego na służbie.

Gdy tylko wypowiedział te słowa, zabrał Bellę do jednej z komnat swojego podwodnego zamczyska. Nakazał jej, aby wyczyściła z glonów kamienną posadzkę i powyrywała wodorosty. Lalka nie była przyzwyczajona do ciężkiej pracy, a mimo to wytrwale pracowała. Miała nadzieję, że kiedy upora się ze sprzątaniem, wodnik ją uwolni. Tak się jednak nie stało. Następnego dnia porządkowała kolejną komnatę, a potem kolejną. Po kilku dniach wróciła do pierwszej, bo znów rozrosły się w niej glony i wodorosty.

Tymczasem Hania przez cały czas szukała swojej lalki. Chociaż rodzice kupili jej nową, dziewczynka tęskniła za Bellą. Przeszukała wszystkie zakątki ogrodu, ale jej lalka przepadła. Nastała jesień, a później zima. Staw pokryła gruba warstwa lodu. Lalka całkiem straciła nadzieję na odzyskanie wolności. Zimą wodorosty i glony przestały się rozrastać, więc Bella nie musiała już sprzątać. W zamian śpiewała wodnikowi piosenki i opowiadała bajki, by nie dłużyły mu się zimowe wieczory. Musiała też przyrządzać mu sałatki z pędów tataraku, które były jego przysmakiem.

Kiedy nadeszła wiosna, wodorosty znów zaczęły rosnąć i Bella wróciła do swoich obowiązków. Przez cały czas myślała o Hani i marzyła o tym, żeby ogrzać się w promieniach wiosennego słońca. Czasami do lalki przypływały ryby, a wtedy Bella opowiadała im o swoim dawnym życiu na powierzchni. Tymczasem tatuś Hani rozpoczął wiosenne prace w ogrodzie. Przycinał żywopłoty, sadził nowe krzewy i kwiaty. Postanowił też oczyścić staw. Zanurzono w wodzie ogromną sieć, by wyłowić wodorosty, gałęzie i gnijące liście.

Zrobiło się wielkie zamieszanie, ryby uciekały przed siecią w popłochu, a w końcu na powierzchni ukazał się zamek wodnika, zbudowany z korzeni, gałęzi i patyków. Kiedy sieć wyciągnięto po raz kolejny, siedziało w niej dziwaczne zielone stworzenie trzymające w łapach lalkę. Na brzegu stawu zebrali się sąsiedzi, którzy chcieli zobaczyć stworka ze stawu. A tata Hani postanowił wezwać dyrektora pobliskiego ogrodu zoologicznego. Kiedy wszyscy czekali na przyjazd pracowników zoo, wodnik rozglądał się dokoła ze strachem.

Płakał zielonymi łzami i prosił lalkę o pomoc. Bella nie wiedziała, jak go uwolnić. Ale zobaczyła, że sznurek sieci jest w jednym miejscu zawiązany na supełek. Rozwiązała go, a potem powiększyła otwór, rozplątując kolejne oczka sieci. W końcu dziura była na tyle duża, że wodnik wydostał się na trawę i zsunął się do wody. Zanim ktokolwiek spostrzegł, co się dzieje, stworek był już na dnie i szybko zakopał się w piasku.
Szczęśliwa Bella wróciła do swojej właścicielki. A wodnik pomyślał, że nie powinien był więzić lalki wbrew jej woli. Zrozumiał swoje złe postępowanie. Odtąd był już miłym i przyjaznym stworzeniem. Ważne jest, aby umieć przyznać się do błędu i starać się go naprawić.

Brama do świata wyobraźni

Gdzieś bardzo, bardzo daleko albo bardzo, bardzo blisko znajduje się brama do świata wyobraźni. Każdy może przez nią przejść, jeśli tylko przyjdzie mu na to ochota. Może się okazać, że brama jest w parku, porośnięta bluszczem lub dzikim winem. Może też być w chmurze bądź na dnie błękitnego jeziora. Niekiedy otwiera się ją srebrnym kluczem, a czasem wystarczy lekko popchnąć, aby otworzyła się na oścież.

Pewien chłopiec przechodził przez bramę po moście
z siedmiobarwnej tęczy. Spacerował po ogrodzie tuż po deszczu,
a gdy pojawiła się tęcza, szedł po niej aż do samych obłoków. Na
szczycie zawsze natrafiał na tęczową bramę i wchodził przez nią
do świata wyobraźni. Kiedyś, gdy tylko ją przekroczył, zobaczył że
trzyma w ręku berło. Ubrany był w królewski płaszcz, a na głowie
miał wspaniałą koronę.

Spacerował po zamkowym ogrodzie, a za nim chodził służący z koszem smakowitych lodów. Chłopiec jadł jednego loda za drugim, zbliżając się powoli do zamkowego basenu, w którym pływały różnokolorowe piłki i wielki dmuchany krokodyl. Ponieważ pogoda dopisywała, chłopiec rozebrał się i wskoczył do basenu, aby popływać na zielonym krokodylu. Pluskał się w chłodnej wodzie, a na brzegu stało dwóch służących. Jeden trzymał koronę i berło, a drugi – wielki, puchaty ręcznik.

Kiedy chłopiec wypluskał się do woli, przybiegły dwa psy. Jeden był kudłaty i wspaniale aportował piłkę, a drugi, pręgowany, rozumiał wszystko, co chłopiec do niego mówi. Gdy bawił się z psami, przyszło dwóch posłańców. Poprosili, aby król udał się do sali tronowej i podpisał dokumenty wagi państwowej. Sala tronowa była olbrzymia, jej ściany lśniły złotem, a na środku stał tron. Chłopiec usiadł na nim i zaczął naciskać wszystkie guziki, obracając się w różne strony, kładąc i podnosząc oparcie.

Chłopiec wcale nie słuchał marszałka, który odczytał treść dokumentów. Nie miał więc pojęcia, co postanowić. Kazał sobie przedstawić treść dokumentów jeszcze raz. Marszałek odczytał je powtórnie bardzo powoli i zapytał chłopca, jaka jest jego decyzja. Niestety, ten nie zrozumiał tego, co usłyszał. Dlatego zwołał posiedzenie ministrów, którzy mieli wyrazić swoje zdanie. Ministrowie zjawili się natychmiast, a marszałek po raz kolejny przeczytał dokumenty.

Gdy skończył, udzielił głosu jednemu z panów. A ten mówił i mówił, ale chłopiec niewiele z tego rozumiał. Potem do dyskusji włączyli się pozostali ministrowie. Mówili jeden przez drugiego, a w końcu pokłócili się i marszałek przerwał obrady. Poprosił, aby król podjął ostateczną decyzję, bo sprawa dotyczy dalszych losów państwa. Sytuacja stała się kłopotliwa. Chłopiec spojrzał w okno i zobaczył w nim siedmiobarwną tęczę. Wstał z tronu, podbiegł do okna, otworzył je i wskoczył na sam szczyt tęczowego mostu.

Chłopiec zszedł powoli do swojego ogrodu. Cieszył się, że nie musi już być królem i podejmować decyzji wagi państwowej. Do obiadu zostało jeszcze troszkę czasu, więc znów wszedł po tęczy. Przywitał się z chmurą, która wyglądała jak lokomotywa wypuszczająca obłoki pary. Z góry roztaczał się cudowny widok. Widać było drogi, samochody i dom chłopca, maleńki jak pudełko. Chmura--lokomotywa była tuż przed nim, a on był białym parasolem, który płynął po błękitnym niebie. Potem zamienił się w wagon, żeby sunąć za lokomotywą po niewidzialnym torze. To dopiero była zabawa!

W pewnej chwili niebo po lewej stronie zrobiło się granatowe. Zerwał się silny wiatr. Chłopiec nie mógł już być wagonem ani parasolem, bo wiatr psuł zabawę i gnał białe chmurki gdzieś na drugi koniec nieba. Czarna chmura z lewej strony przybrała postać smoka i połykała białe obłoki, które spotkała na swej drodze. Chłopiec zmienił się w chmurkę-gazelę i uciekał najszybciej, jak tylko potrafił. W końcu czarny olbrzymi smok zniknął.

Na niebie znów pojawiła się tęcza i chłopiec mógł po niej zejść. Jednak zobaczył z góry sad, pełen drzew z usychającymi listkami. Były to piękne jabłonie, na których dojrzewały rumiane owoce. Drzewom brakowało wody, bo w tej okolicy od dawna nie padał deszcz. Chłopcu zrobiło się żal drzew i uronił na sad kilka błękitnych łez. Jabłonie uniosły listki, a wtedy chłopiec lunął deszczem. Robił się coraz mniejszy i mniejszy. Nie zszedł po siedmiobarwnej tęczy, lecz spadł z deszczem, aby napoić jabłonie w sadzie.

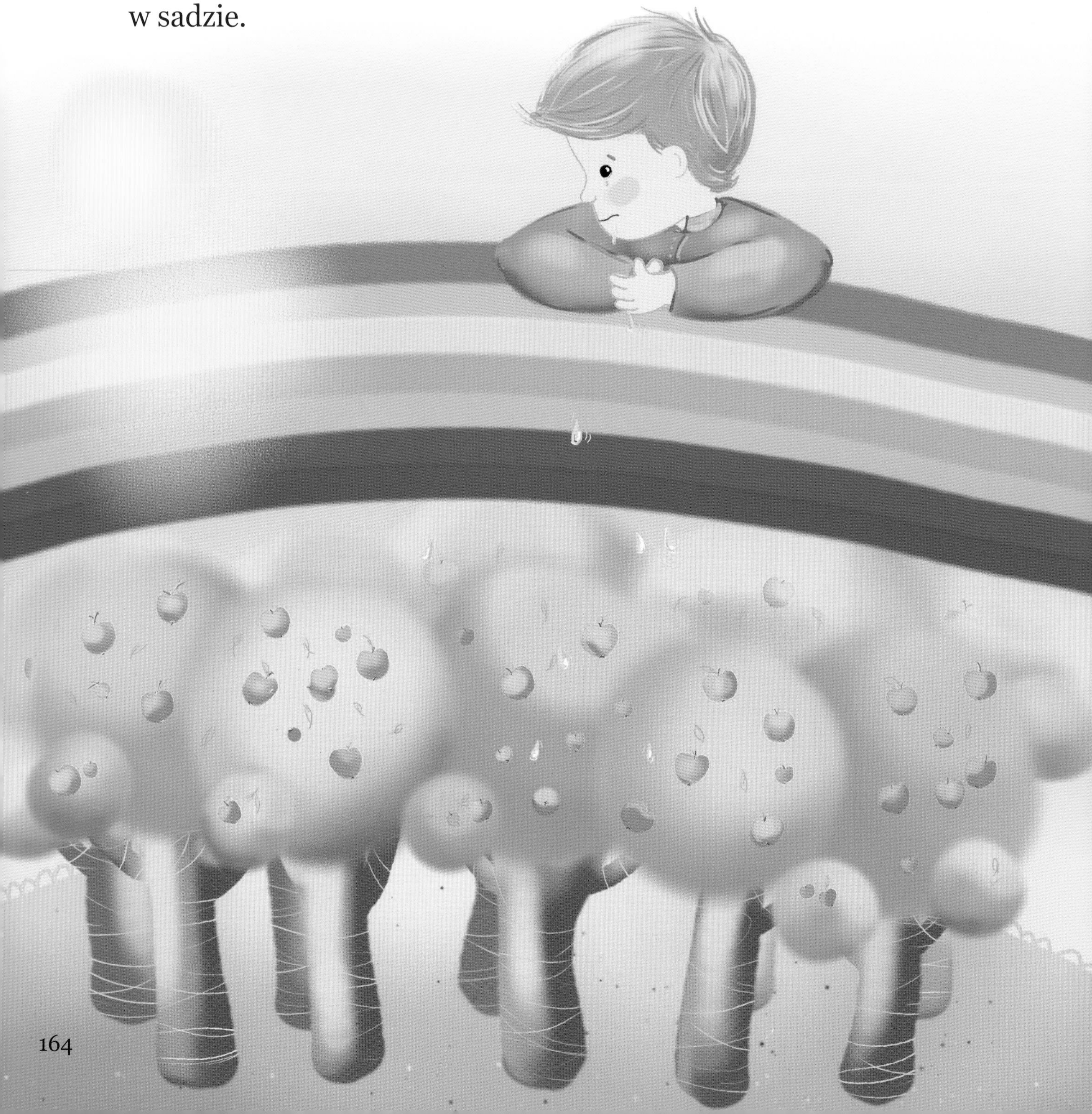

Kiedy chłopiec znów znalazł się w swoim ogrodzie, zbliżała się pora obiadu. Zamknął więc bramę do świata wyobraźni na zielony kluczyk z trawy i wrócił od domu. Wieczorem spojrzał w lustro i pomyślał: „Nie jestem królem ani białym obłokiem, ale brama do świata mojej wyobraźni zawsze jest otwarta. Gdy ją przekroczę, mogę się przekonać, czy spełniając najskrytsze marzenia, na pewno będę szczęśliwy”.

Skalny dziadek

W górach, daleko za wsią, mieszkał skalny dziadek. Wziął w posiadanie kilka górskich szczytów, dwie przełęcze i rozległe doliny porośnięte świerkami. Uważał, że ta część gór należy do niego, i nie pozwolił nikomu wchodzić na swój teren. Każdego śmiałka, który odważył się wejść do jego królestwa, czekała przykra niespodzianka. A to urwane koło od wozu, a to burza, a to lawina... Mówiono, że skalny dziadek posiada czarodziejskie moce i wymierza karę każdemu, kto chce przejść przez jego teren.

Wszyscy starali się unikać tej części gór, ale sprawa nie była łatwa, bo prowadziła tamtędy najkrótsza droga do miasta. Pewnego dnia przez wieś chciał przejechać kupiec, który wiózł na sprzedaż tkaniny i przybory krawieckie. Chociaż słyszał opowieści o skalnym dziadku, postanowił przejechać drogą, której unikali wszyscy podróżni. Spieszył się, a poza tym nie wierzył w historię, którą opowiadali sobie ludzie. Gdy tylko wjechał na mało uczęszczaną drogę, na niebie pojawiły się chmury. Po chwili zaczął kropić deszcz, który wkrótce zmienił się w potężną ulewę.

Podróż stała się bardzo niebezpieczna, bo końskie kopyta ślizgały się po mokrych kamieniach. Droga wiodła brzegiem stromego urwiska. Kupiec jechał bardzo powoli, aby wóz nie zsunął się w przepaść. W pewnej chwili usłyszał hałas i zobaczył, jak olbrzymi głaz stacza się ze szczytu. Kupiec zatrzymał konia, a skała znalazła się tuż przed nim, blokując przejazd. Podróżny nie mógł jechać dalej. Nie mógł też zawrócić, gdyż droga była zbyt wąska. Nie liczył też na niczyją pomoc, gdyż znalazł się w pustym i odludnym miejscu. A na domiar złego zbliżał się wieczór.

Kupiec zsiadł z wozu i próbował zepchnąć skałę z drogi. Niestety, głaz ani drgnął. Ponieważ chciał przed nocą dotrzeć do wsi, wyprzągł konia i zaczął schodzić z nim po stromym zboczu. Chciał dotrzeć do najbliższych domów leśną ścieżką, a rano wrócić po wóz i z pomocą mieszkańców usunąć głaz. Kupiec szedł bardzo powoli, ostrożnie stawiając nogę za nogą. Zbocze było pełne usuwających się kamieni porośniętych mchem. Wszędzie leżały pnie drzew i połamane gałęzie, które trzeba było omijać.

Koń co jakiś czas przystawał i nie chciał iść dalej. Jego kopyta ślizgały się po kamieniach albo wpadały w szczeliny pomiędzy skałami. Deszcz nie ustawał. Kupiec przemókł do suchej nitki, a ścieżki prowadzącej do wsi nigdzie nie było widać. W końcu zaczęło się ściemniać, a las robił się coraz gęstszy. W pewnej chwili kupiec usłyszał dziwne pomrukiwanie. Zaraz potem zobaczył zbliżającą się postać. Był to skalny dziadek, który przyszedł zaproponować mu swoją pomoc. Obiecał, że pomoże mu wydostać się z lasu, jeśli kupiec spełni jego warunek.

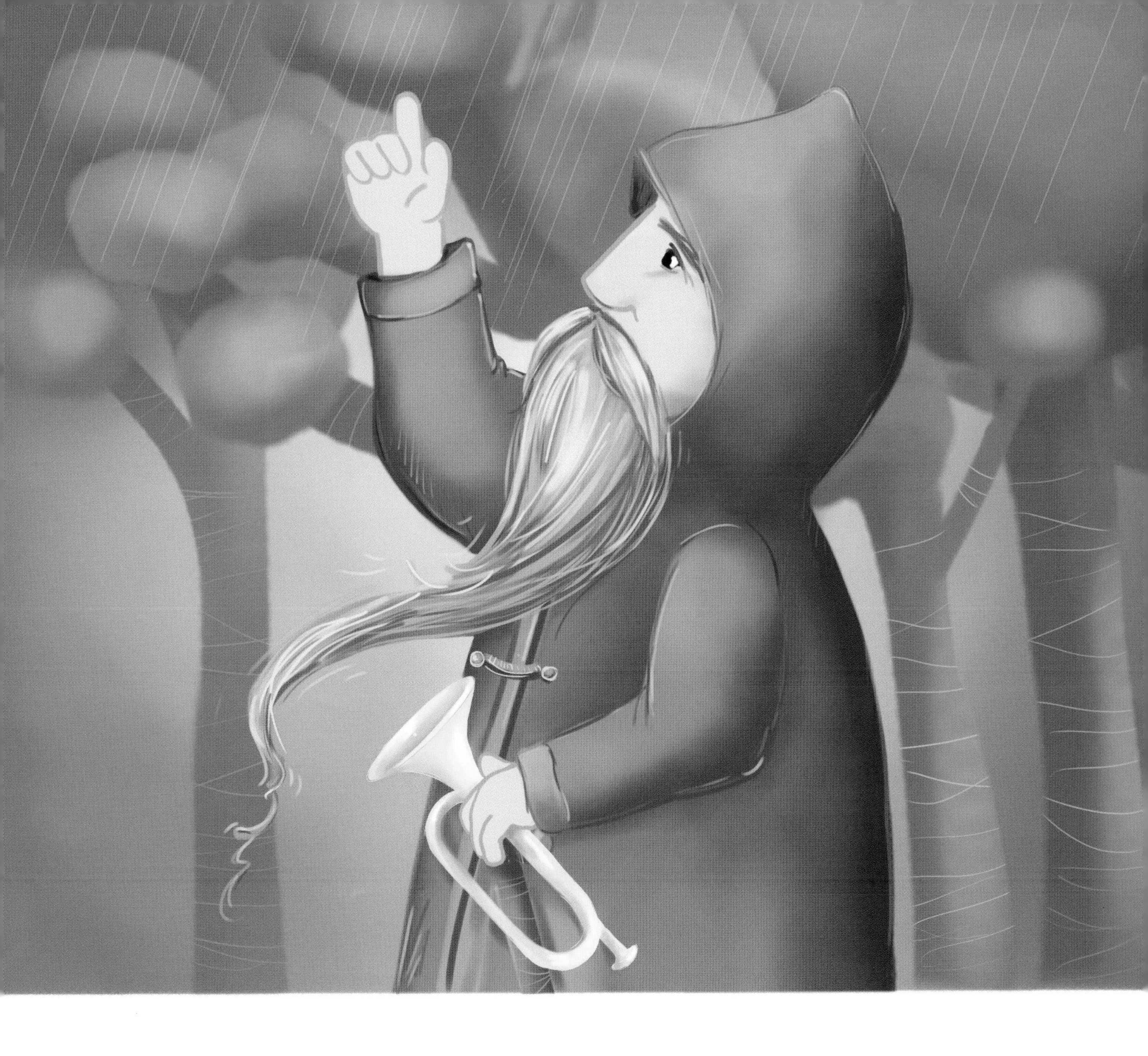

Wyjaśnił, że jego marzeniem jest, aby latać nad swoimi dolinami i lasami. Jeśli kupiec sprawi, że dziadek uniesie się w górę i będzie krążyć nad koronami drzew i ponad górskimi szczytami, powróci bezpiecznie do domu. Potem wręczył kupcowi trąbkę, dzięki której będzie mógł go wezwać, a następnie zniknął, jakby się rozpłynął w powietrzu. Kupiec wiedział, że nie jest w stanie spełnić żądania skalnego dziadka i bez jego pomocy musi odnaleźć drogę do wioski. Ruszył więc z nadzieją, że idąc w jednym kierunku, natrafi wkrótce na leśną ścieżkę.

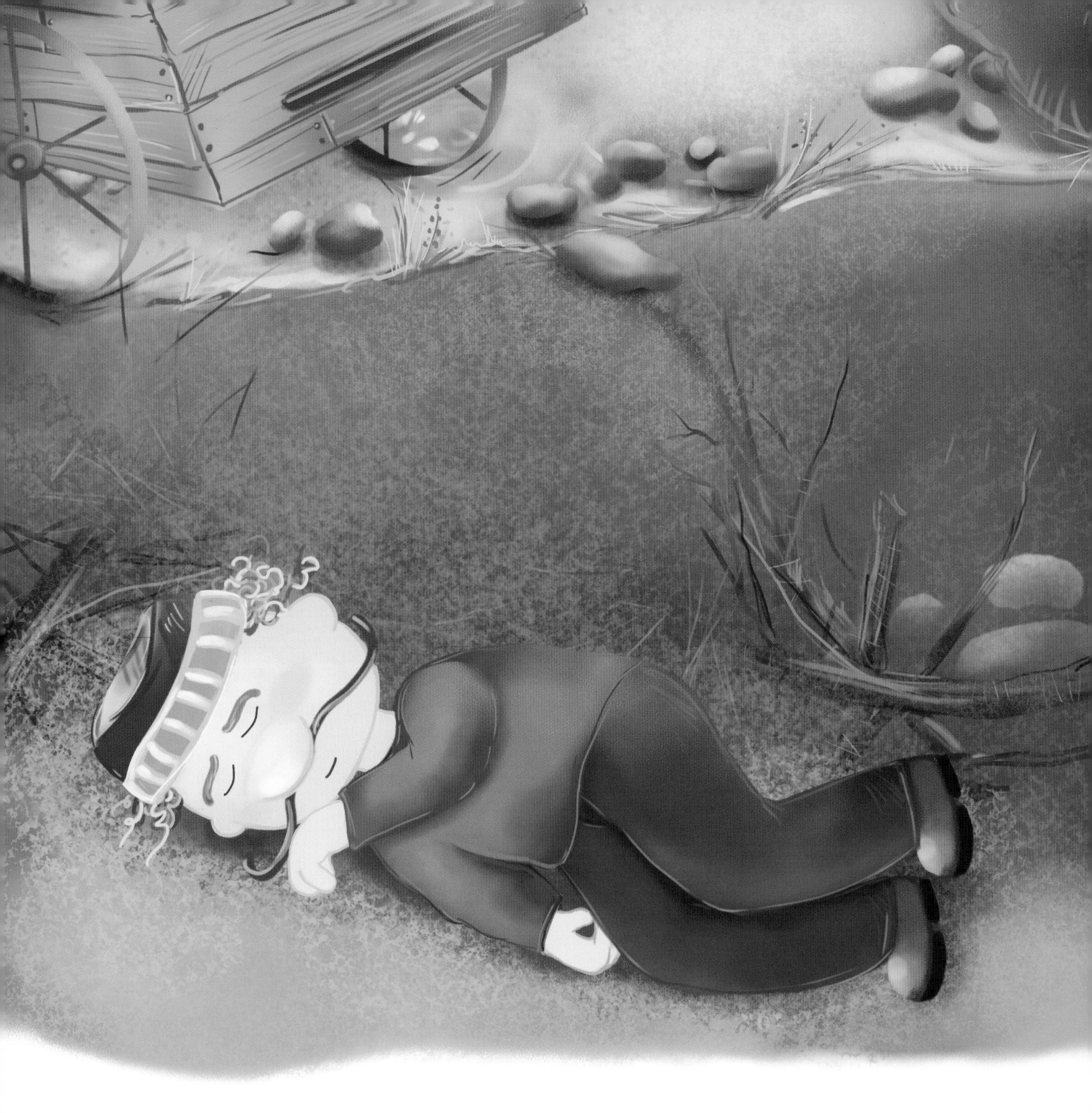

Zapadła noc. Wędrowiec chodził ze swoim koniem po lesie. Czasami miał wrażenie, że to samo miejsce mijali już wcześniej. Nad ranem był już tak zmęczony, że usnął na mchu. Kiedy się obudził, było już całkiem widno. Rozejrzał się wokoło i zobaczył, że znajduje się w pobliżu wozu. Wędrował całą noc, ale prawdopodobnie zatoczył tylko wielkie koło i wrócił do miejsca, z którego wyszedł.

Spał pod zboczem, a powyżej była droga, na której znajdował się jego wóz z towarem na sprzedaż. Kupiec ucieszył się na jego widok, bo przypomniał sobie, że w wozie ma zapas jedzenia i owies dla konia. Zaczęli się więc wspinać po stromym zboczu, omijając gałęzie i poprzewracane przez wicher drzewa. W końcu dotarli na górę, najedli się do syta i odpoczęli. Kupiec był pewien, że skalny dziadek celowo zmylił mu drogę, aby nie mógł trafić do wioski. Mimo to postanowił jeszcze raz spróbować dotrzeć do celu.

Zaczął schodzić wraz z koniem ze zbocza. Gdy tylko znaleźli się w dolinie, nadciągnęła gęsta mgła, która uniemożliwiła wędrówkę. Kupiec zrozumiał, że zostali więźniami, a dziadek nie wypuści ich z lasu, dopóki nie spełnią jego żądania. Kiedy po raz kolejny znalazł się przy wozie, usiadł i zaczął się zastanawiać, jak wybrnąć z trudnej sytuacji, w której się znaleźli.

W pewnej chwili wpadł mu do głowy pomysł, który natychmiast zaczął realizować. Naścinał dużo leszczynowych gałązek, a następnie obdarł je z kory. Jej długie pasma powiązał ze sobą i uplótł z nich cztery mocne liny. Z gałązek leszczynowych zrobił kosz, w którym mógł się zmieścić człowiek. Z tkanin, które miał na wozie, uszył kilka woreczków i napełnił je piaskiem. Uszył też olbrzymi okrągły worek, który stanowił czaszę balonu. Balon połączył z koszem za pomocą lin uplecionych z kory i obciążył go woreczkami z piaskiem.

Gdy wszystko było gotowe, rozpalił ognisko, ogrzał powietrze w balonie i postanowił wezwać skalnego dziadka. Kiedy tylko zadął w trąbkę, dziadek zjawił się natychmiast. Kupiec powiedział, że spełnił jego marzenie – już za chwilę będzie mógł unieść się w powietrze i poszybować nad górami i koronami drzew. Skalny dziadek wsiadł do balonu, a kupiec odciął wszystkie woreczki z piaskiem. Balon uniósł się w górę. Wkrótce znalazł się ponad chmurami, a wiatr gnał go coraz dalej i dalej.

Kupiec odetchnął z ulgą. Wiedział, że są uratowani. Jeszcze raz postanowił zepchnąć głaz z drogi. Tym razem skała nie stawiała oporu i stoczyła się po zboczu. Kupiec zaprzągł konia do wozu i wkrótce dotarł do wsi. Od tamtej pory nikt nie widział w okolicy skalnego dziadka. Zapewne wylądował gdzieś daleko i postanowił zamieszkać w innym lesie. Mieszkańcy często opowiadali sobie jego historię, gdy przejeżdżali drogą prowadzącą po zboczu. Zawsze potem dodawali, że z każdej sytuacji znajdzie się jakieś wyjście, czasem potrzeba tylko trochę czasu, aby je odnaleźć.

Ogrodowe krasnoludki

W każdym ogrodzie, choćby był całkiem niewielki, mieszkają ogrodowe krasnoludki. Siedzą najczęściej pośród grządek, bo uwielbiają smak świeżych warzyw i owoców. Żywią się tym, co akurat dojrzewa na grządkach, ale jedzą tak niewiele, że wcale nie widać, aby czegokolwiek ubywało. Często można je spotkać pośród krzaczków truskawek i pomidorów. Czasem wchodzą na tyczki, aby delektować się słodkim groszkiem i fasolką.

Gdy dojrzewają owoce w sadzie, wspinają się na drzewa, aby poczęstować się czereśniami i śliwkami. Zmieniają się wtedy w drzewne krasnoludki i z łatwością przeskakują z gałązki na gałązkę. Jednak nikt z dorosłych nie może ich zobaczyć. Dzieje się tak dlatego, że potrafią one przybierać postać owoców i warzyw, na których się znajdują. Gdy usłyszą albo zobaczą, że do ogrodu zbliża się człowiek, natychmiast stają się truskawkami, malinami albo małymi zielonymi pomidorkami. Mogą je zobaczyć tylko zwierzęta albo małe dzieci, bo dorośli nie wierzą w ich istnienie.

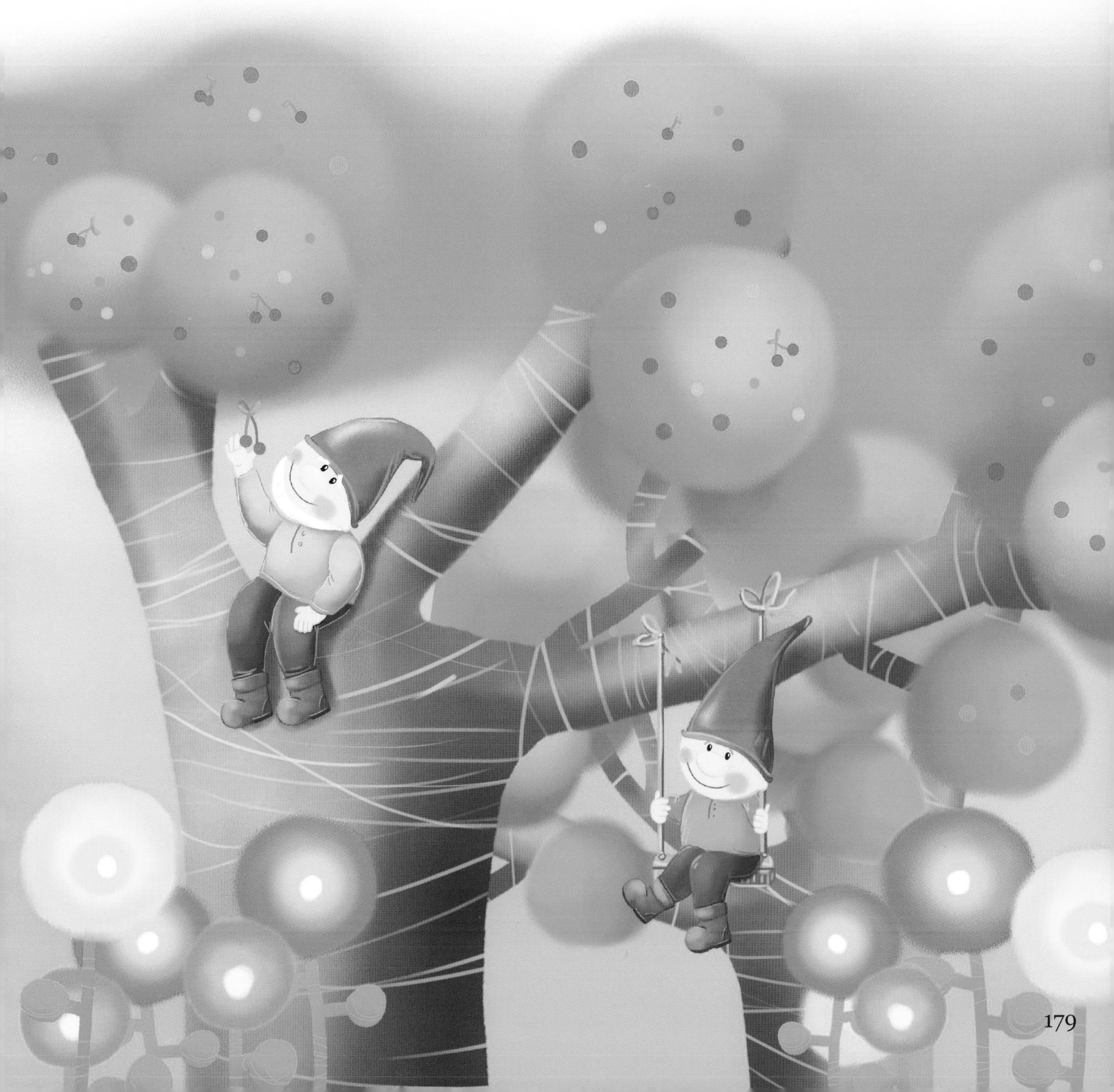

W pewnym ogrodzie mieszkała cała rodzinka: tata krasnoludek, mama krasnoludkowa, pięć ciotek, trzech wujków i krasnoludkowy maluch. Któregoś dnia wszystkie siedziały na krzaczkach truskawek i delektowały się słodkimi owocami. W pewnej chwili usłyszały szelest i zobaczyły, że w ich stronę zbliża się kobieta z koszyczkiem. Natychmiast ostrzegły się wzajemnie i zamieniły w zielone, niedojrzałe owoce.

Tylko krasnoludkowy maluch nie posłuchał dorosłych i nie zachował należytej ostrożności. Zamienił się w piękną, dojrzałą truskawkę. Kobieta weszła do ogrodu, postawiła łubiankę na ścieżce i zaczęła zbierać owoce. Zrywała tylko te, które były najbardziej dojrzałe i najsłodsze. Miała zamiar upiec tort z kremem i truskawkami dla swoich dzieci. Nagle zobaczyła owoc, który wyglądał wyjątkowo smakowicie. Zerwała go, nie wiedząc, że jest to krasnoludkowy maluch, który zmienił swoją postać.

Biedaczek po chwili znalazł się w koszyczku, ale nie stracił głowy. Gdy kobieta była zajęta szukaniem truskawek, próbował wspiąć się po ściankach łubianki, aby wydostać się na trawę. Niestety, za każdym razem wpadał z powrotem do koszyka, bo uderzały go kolejne wrzucane owoce. Kiedy koszyk był pełny, nasz truskawkowy krasnoludek nie wiedział, co się z nim dzieje. Był na dnie łubianki, w której panowała ciemność. W końcu zasnął ze zmęczenia.

Kiedy się obudził, siedział w wielkim durszlaku pośród innych owoców. Lały się na niego strumienie zimnej wody – to kobieta myła truskawki przed ułożeniem ich na torcie. Potem wsypała je wszystkie do śmietankowego kremu i zamieszała łyżką. Krasnoludkowy maluch przestraszył się nie na żarty. Wiedział, że znalazł się w wielkich tarapatach. Gdy kobieta była zajęta pracą, powrócił do swojej zwykłej postaci, aby się uwolnić. Niestety, w gęstym kremie nie mógł poruszyć ani rączką, ani nóżką.

Pewnie skończyłby marnie, gdyby nie mała dziewczynka, która przyszła pomóc mamie w pracy. Ponieważ krasnoludki nie boją się dzieci i darzą je zaufaniem, maluch poprosił ją o pomoc. Zdziwiona dziewczynka wyjęła ostrożnie krasnoludka z kremu i schowała go do kieszeni sukienki. Miała zamiar zanieść go do ogrodu, tak jak o to prosił. Czekała tam na niego przecież cała zaniepokojona rodzina.

Niestety, jej plan się nie powiódł. Dziewczynka, wyjmując krasnoludka z kremu i chowając go do kieszeni, poplamiła sobie sukienkę. Gdy jej mama zobaczyła, że córeczka jest cała umorusana kremem, założyła jej czyste ubranko. Poplamione wrzuciła do pojemnika na brudną odzież. Dziewczynka tłumaczyła mamie, że sukienka poplamiła się, gdy wyjmowała uwięzionego w kremie krasnoludka. Powiedziała też, że krasnoludek jest w kieszonce i że wygląda jak zwykła truskawka, bo potrafi zmieniać się w różne owoce i warzywa.

Mama jednak nie uwierzyła. Była przekonana, że córeczka wyjadała krem z miseczki i nie chciała się do tego przyznać. Tymczasem krasnoludek znów znalazł się w tarapatach. Nie mógł się wydostać z kieszeni sukienki, więc zaczął wzywać pomocy tak głośno, jak tylko potrafił. Dziewczynka miała zamiar uratować malucha później, gdy skończy ozdabianie tortu owocami. Jednak on nadal krzyczał i płakał, aż usłyszał go przechodzący w pobliżu piesek Burasek.

Pies zaczął nasłuchiwać, skąd dobiega wołanie o pomoc, a potem włożył nos do kosza z bielizną. Węszył i węszył, aż zorientował się, że krasnoludek został uwięziony w kieszeni sukienki. Chociaż wiedział, że nie może brać w zęby ubrań i butów, złapał sukienkę i uciekł z nią do ogródka. Położył ją w pobliżu grządki, na której rosły truskawki, a wtedy zjawiła się cała krasnoludkowa rodzina. Wszyscy pomagali maluchowi wydostać się z kieszeni, a potem długo dziękowali pieskowi za pomoc.

Tymczasem dziewczynka skończyła dekorować tort i wyjrzała przez okno. Zauważyła, że jej sukienka leży na ścieżce w ogrodzie. Obok niej siedzi Burasek, a wokół spacerują ogrodowe krasnoludki. Dziewczynka domyśliła się, że piesek odnalazł malucha w pojemniku na brudną odzież i zaniósł sukienkę do ogrodu. Tym razem pomoc potrzebna była pieskowi. Gdyby mama zobaczyła, że Burasek zaciągnął sukienkę na podwórze, mógłby zostać ukarany.

Dziewczynka wiedziała, że nikt nie uwierzy w jej wyjaśnienia, bo przecież dorośli nie wierzą w istnienie krasnoludków. Na szczęście udało jej się sprzątnąć ubranko, zanim zauważyła je mama. Wszystko dobrze się skończyło, a piesek tłumaczył krasnoludkowi, że sam jako szczeniak też często wpadał w różne kłopoty. Szczeniaki i małe krasnoludki powinny słuchać dorosłych, bo jeśli tego nie robią, muszą się uczyć na własnych błędach.

Przyjaciele zajączka

W małym domku na końcu lasu mieszkał zajączek Kicatek. Miał wielu przyjaciół, którzy często go odwiedzali i z którymi spędzał dużo czasu. W każdy wtorek bywał u jeżyka, z którym grał w szachy albo w bierki. W czwartki przychodziła do niego ruda wiewióreczka i wspólnie urządzali sobie zawody w skokach na odległość. W soboty gościł u siebie bobry, z którymi chodził na długie wędrówki po lesie.

Pewnego ranka mieszkańców lasu obudził głośny dźwięk trąbki. Zaraz potem rozległo się szczekanie psów. Dla wszystkich stało się jasne, że rozpoczęło się polowanie. Należy pozamykać dokładnie drzwi swoich domów i nie wychodzić na zewnątrz pod żadnym pozorem. Mieszkańcy lasu tak właśnie zrobili, bo każdy wiedział, że psy myśliwskie są bardzo groźne i mogą schwytać nieostrożne zwierzątko.

Tylko zajączek Kicatek o niczym nie wiedział. Nie słyszał dźwięku trąbki ani szczekania psów, bo przebywał na drugim końcu lasu. Wstał bardzo wcześnie rano i pobiegł nazrywać młodych listków mleczy. Chciał z nich przygotować poczęstunek dla jeżyka, który miał go odwiedzić wieczorem. Nie zdając sobie sprawy z grożącego mu niebezpieczeństwa, zarzucił na plecy woreczek z mleczami i pokicał w stronę swojego domu.

Był już całkiem niedaleko, kiedy usłyszał za sobą szczekanie psów. Domyślił się, że wyczuły jego obecność i że znalazł się w niebezpieczeństwie. Porzucił woreczek z mleczami i zaczął uciekać najszybciej, jak tylko potrafił. Wkrótce dobiegł do chatki jeża i pomyślał, że u niego znajdzie schronienie. Zapukał głośno w okienko i poprosił, żeby jeżyk wpuścił go do środka, bo psy są tuż za nim. Jeżyk uchylił drzwi, a zajączek prędko wskoczył do jego mieszkanka.

Przyjaciele zamknęli drzwiczki na cztery zamki i kłodę, a potem przycupnęli cichutko pod stołem. Rozmawiali szeptem, by nie usłyszały ich psy. Charty jednak wyczuły ich obecność. Uderzały łapami w drzwi i szczekaniem nawoływały myśliwych. Zajączek i jeżyk musieli szukać bezpieczniejszego schronienia. Wymknęli się cichutko tylnym wyjściem i pobiegli w kierunku domku wiewiórki. Przyjaciółka, gdy tylko zobaczyła ich przez okienko, natychmiast otworzyła drzwiczki, aby mogli się ukryć.

Kicatek wraz z jeżykiem wbiegli do jej domku, zamknęli się wewnątrz i przycupnęli w kąciku. Jednak psy cały czas gnały tropem zajączka i szybko dotarły do domku wiewiórki. Zaczęły kopać pod nim wielką jamę, aby dostać się do środka. Przyjaciele pomyśleli, że nie jest to bezpieczne miejsce i że muszą się ukryć gdzie indziej. Zwierzątka wymknęły się tylnym wyjściem i pobiegły w stronę domku bobrów, który znajdował się nad brzegiem jeziora. Przez całą drogę kluczyły po lesie, aby zmylić pogoń. Jednak psy nie dawały się przechytrzyć i podążały ich śladem.

Tymczasem rodzina bobrów ścinała wielkie drzewo, aby z jego pnia zrobić tratwę, na której zmieszczą się zajączek, jeżyk i wiewiórka. Bobry wiedziały, że ich przyjaciele są w niebezpieczeństwie, bo wszystkie leśne ptaszki wszczęły już alarm. Same też próbowały pomóc, zrzucając na psy szyszki i patyczki, na niewiele się to jednak zdało. Kiedy trójka przyjaciół dobiegła do domku bobrów, tratwa była już gotowa. Najstarszy bóbr otworzył drzwi domku, a zmęczone zwierzątka wbiegły do środka. Nie było czasu na odpoczynek, bo jeden z psów wybiegał już zza pobliskiego drzewa.

Wszyscy wyszli tylnym wyjściem wprost na tratwę. Bobry odepchnęły ją od brzegu, a potem popłynęły w kierunku wysepki. Charty szybko się zorientowały, że chatka jest pusta. Pobiegły na brzeg, ale Kicatek z przyjaciółmi byli już daleko. Kiedy psy zastanawiały się, czy wskoczyć do zimnej wody, od strony lasu rozległ się głos trąbki. To myśliwi wzywali je do powrotu. Polowanie zostało zakończone. Wkrótce tratwa dopłynęła do wyspy na środku jeziora. Wszyscy długo dziękowali bobrom za ratunek. Wiedzieli, że mogą na siebie liczyć, a przyjaźń to nie tylko wspólna zabawa, lecz także wzajemna pomoc.

Spis treści

Tekst: Anna Edyk-Psut
Ilustracje i projekt okładki: Ewelina Jaślan-Klisik
Skład, okładka i przygotowanie do druku: Marcin Korolkiewicz

Redakcja: Elżbieta Wójcik
Korekta: Katarzyna Juszyńska

Wydanie I
Wydrukowano w Polsce

Wydawnictwo SBM Sp. z o.o.
ul. Sułkowskiego 2/2
01-602 Warszawa
www.wydawnictwo-sbm.pl